# 法隆寺金堂釈迦三尊像台座裏の「墨書十二文字」について

―上代飛鳥期の魂魄観と死後観―

# 目次

## 萬葉集未詳歌詞の訓義について



## 萬葉集巻第十六掉尾の歌の解釈

### —「葉非左思」の訓義を中心として—

# まえがき

表題に掲げた「墨書十二文字」は、法隆寺昭和資財帳編纂事業に伴う同寺金堂諸像の調査過程において、平成元（一九八九）年十二月六日、奈良国立博物館所属の阪田・関根両技官等による同寺金堂釈迦三尊像の台座調査中、木造二重宣字形台座上壇正面向かって右腰板の裏面より墨色線描の魚鳥画とともに発見されたものである。概要は平成二（一九九〇）年五月発行の『伊珂留我　法隆寺昭和資材帳調査概報十二号』[1]所収の高田良信氏特別報告「釈迦三尊像の台座裏から発見された十二文字の墨書」[2]によって知ることができる。その中で、本墨書は中村元・稲岡耕二・鬼頭清明以上三氏によって、「相見丂陵面楽識心了時者」（以下、稲岡氏釈文と称す）と釈読され、文意は「陵の面に相まみえよ　陵に葬られている死者の魂をしずめるためには」という意味であろうとされている。しかし、稲岡氏釈文ならびに文意解釈については、異説があり未だ定説を見るに至っていない。異説の中には、釈文に関わる見解の相違は勿論、一文の性格あるいは内容についても、これを戯書、落書と見なすもの、あるいは文章としての完成度を疑うもの、更には前後欠落の断簡と見なし、首尾具わる完結の一文とは認めないものさえある。従って、文意についても、不明とするもの、あるいは隠語の如く解するもの等もあって、各説容易に一致しがたいものがある。主な異説は表1の通りである。諸説の見解は第三・第六・第十番の各文字については分かれているが、他の九文字については諸説の間に異論が見えない。

浅学ながら私見によれば、本墨書はわずか十二文字とはいえ、一句六字、上下二句一対の対句風構文をもってする首尾具わる完結の一文を成しており、その用字・用語・書風・構文・文意等何れも用例稀な独自の態様を見せており、この一文の作者の素養と文藻の並々ならぬ深さを物語っている。も

**表1　先行諸説**

| | 1 | 2 | 3 | 4 | 5 | 6 | 7 | 8 | 9 | 10 | 11 | 12 | 釈文者 |
|---|---|---|---|---|---|---|---|---|---|---|---|---|---|
| (一) | 相 | 見 | 丂 | 陵 | 面 | 楽 | 識 | 心 | 陵 | 了 | 時 | 者 | 稲岡耕二氏(2) |
| (二) | 相 | 見 | 了 | 陵 | 面 | 保 | 識 | 心 | 陵 | 了 | 時 | 者 | 福宿孝夫氏(3) |
| (三) | 相 | 見 | 可 | 陵 | 面 | 未 | 識 | 心 | 陵 | 可 | 時 | 者 | 東野治之氏(4) |
| (四) | 相 | 見 | 可 | 陵 | 面 | 示 | 識 | 心 | 陵 | 可 | 時 | 者 | 新川登亀男氏(5) |
| (五) | 相 | 見 | 丂 | 陵 | 面 | 示 | 識 | 心 | 陵 | 了 | 時 | 者 | 川端真理子氏(6) |
| (六) | 相 | 見 | 丂 | 陵 | 面 | 楽 | 識 | 心 | 陵 | 了 | 時 | 者 | 田村圓澄氏(7) |

とより、この一文は形式美を重んずる六朝美文とは趣を異にするが、文体は古様の実質美を具えており、文辞は壮重、文意は明快かつ厳粛であり、読む者をして粛然たらしめる品格を備えている。殊に本墨書の文末には断定の助辞「者」が配されており、この一文が作文者自身の確信的な認識と心情を表白したものであることを物語っている。従って、その文意もまた極めて明白かつ厳粛なものであろうことが察せられる。

本墨書は法隆寺金堂釈迦三尊像の造立時期と同時期の揮毫に成るものと考えられている。従ってわずか十二文字とはいいながら、本墨書は推古朝における文字文化が、その実質において如何なる水準のものであったかを具体的に物語る貴重な史料として、発見の意義はきわめて重いと考えられる。以下本稿は『伊珂留我十二号』[1]表紙（図1）に基づく本墨書十二文字の用字・用語・書風・文意・構文等の検討を通して、当該一文の作者が表白せんとした確信的な認識が何であったかを明らかにしようとするものである。卑見を述べるに先だって、まず筆者が知り得た先行の諸説の概要に触れておきたい。

## 一、先行諸説

本墨書について福宿孝夫氏は、論文「法隆寺書跡の字体考―日本最古の木面墨書に関する試論―」[3]において、本墨書の第三字を「了」と釈き、第六字を「保」の偏「イ」を省略した箇体字（略字・省文）としての「呆」の行書体と解している。そして、「保」を保傭人（雇人）、つまり陵墓の築造に従事した工人等を意味する名詞と解している。この第三・第六両字以外の文字については、稲岡氏釈文と異なるところはない。なお、福宿氏は本墨書の構文について「命令句形でなく、倒置句形と対句形式の文章であると見抜くべきである」とし、また「この文の素材は死者ではなくて、現場の工人（労役者）が対象」であり、この一文の主題は「陵墓の傭作集団における交際」であって、「鎮魂や墓参に関する宗教的文章ではあるまい」と述べている。

図1A　法隆寺金堂釈迦三尊像台座裏墨書十二文字（写真／小学館）

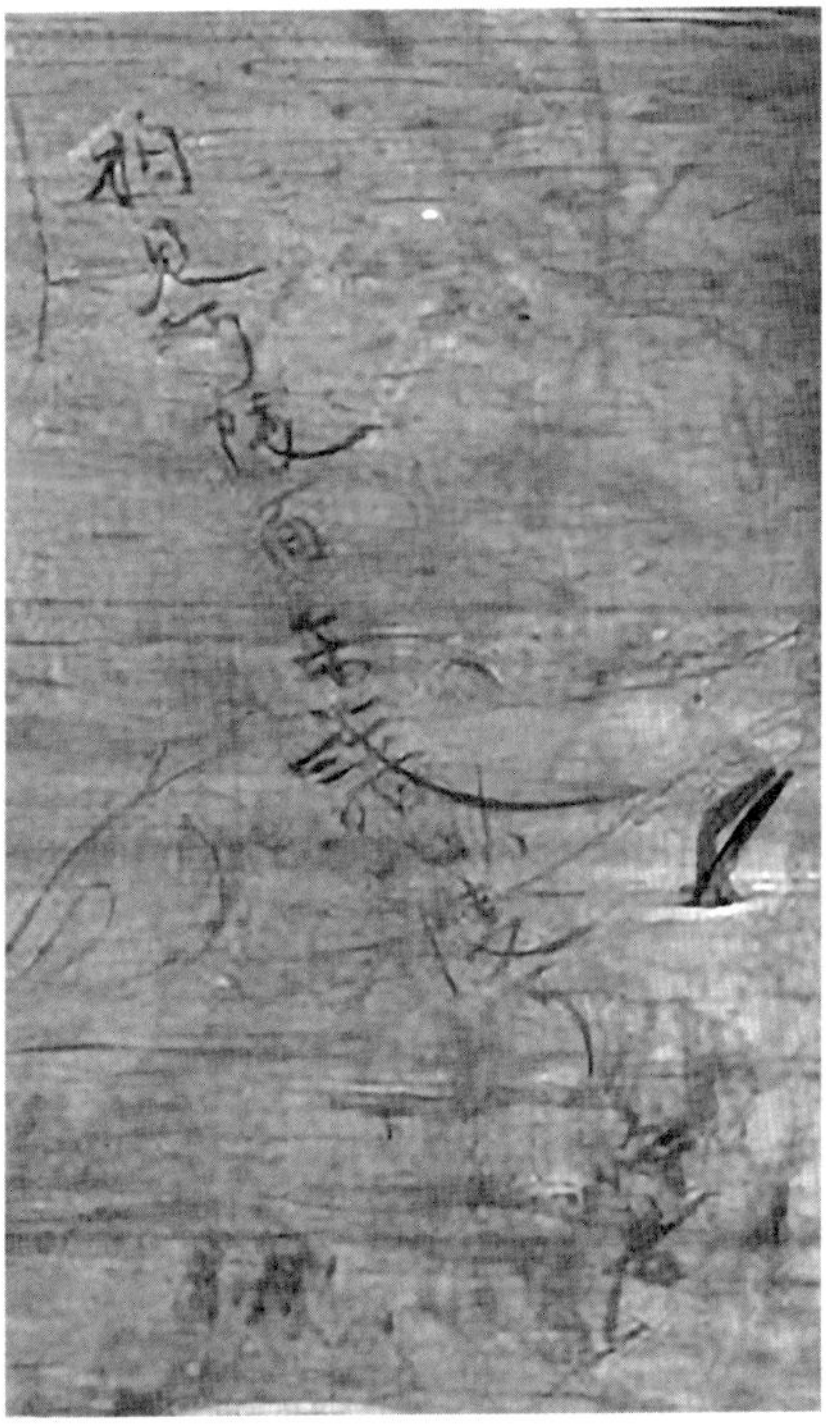

図１B　法隆寺金堂釈迦三尊像台座裏墨書十二文字（写真／小学館）

つまり、この一文は、陵墓の築造に携わる工人・傭人の心情を述べたものと解している。

福宿氏は大略右の見解に基づいて、本墨書を「相見、了陵面保。識心、陵了時者。」と釈し、「相見ル、陵面ヲ了ル保ハ。心ヲ識ル、陵了《おわ》ル時ハ。」と訓んでいる。そして、その文意を「ともどもに顔を合わせる（お互いに会う）、陵墓の外側の工事を終える雇い人達は。知り合いになる（気持ちを認め知る）、陵の築造が完了した時には。」と解している。

東野治之氏は、その著『書の古代史』所収の「法隆寺釈迦三尊台座の墨書」(4)において、本墨書の第三字および第六字を同一文字と解して、これを「可」と読み、前記稲岡氏解釈が「楽」と解した第六字を「未」と読んで、全文を「相見可陵面未識心陵可時者」と釈いている。また、本墨書が通常、人目に触れることのない台座に書かれていること、さらに方形の板面に天地・上下を無視して斜め書きされていること、また、文字の重複あるいは文字の行並びの不整、更には墨書が墨画に重ね書きされていること等を根拠に、「この墨書はやはり落書きと考えるのがよいのではなかろうか」と述べている。そして、「落書きの意味を考えるのは至難のわざである」としながらも、本墨書の文言について「確かなのは前半だけかと思われなくもない」が「強いて読めば、」との前提のもとに、「相見る可陵の面、未だ識らず心・・・・・」と、第八字まで読んで、第九字以下には触れていない。従って、全文の文意についてはは触れるところがない。ただ、同氏釈文の第三・第四字「可陵」が迦陵頻伽の「可陵」なら、文中の「可陵面」は「美しい顔」を暗示した表現かもしれないと述べて用語の一端には触れている。しかし、その所論の末尾に「飛鳥人のかけた謎はなかなか厄介である」との語を付しているように、この墨書を解きがたい謎の一文と解しているようである。

新川登亀男氏は、所論としてその著『道教をめぐる攻防』所収の「法隆寺金堂釈迦三尊像台座裏の落書」(5)において、本墨書を一句四言、都合三句に読み取って「相見可陵、面示未識心、陵可時者」と釈いている。そして、この墨書は「人目につかないことがわかっているところに書かれているのであるから、どれほど文章として成熟しているのかも気になる」として、本墨書の文章としての成熟度に疑問を呈しながら「しかし、現在でも落書きに真実の一端があらわれることは珍しくないので、あえて読んでみようではないか」として、「相《あ》い見《み》て陵《しの》ぐ可し、面《まのあたり》に示して心を識らん、陵《しの》ぐ可き時は」と、正に謎そのものとも言うべき訓を提示している。

新川氏は、第三字および第十字を東野氏釈文と同じく「可」と釈いているが、第六字を「示」と釈くところに新川氏釈文の特色がある。そして、本墨書解釈の鍵は「陵」の文字にあるとして、この「陵」を「可」との関連から動詞と解することによって「この落書き文字の読み解きは決定的な方向へとすすむことになる」としている。したがって、この動詞としての「陵」を鍵として、本墨書の意味するところを解こうとする新川氏の想像的推論には尽きないものがあるが、しかし遂に簡明直截な文意解釈は提示されていない。

川端真理子氏は、『古代文化』（第五十三巻・第二号）所収の論文「法隆寺金堂釈迦三尊像台座内の墨書と銘文」(6)において、本墨書を「相見丂陵面示識心陵了時者」と釈いている。十二文字中、第六字を「示」と判読した根拠について、「銘文第六字目は『楽』と読むには他の字体に比べて略がすぎた書き方であり、『示』と読む新川説をとりたい」と述べて、新川氏釈文に従った旨を記している。

また、「その他は高田氏ら発見者の文字認定に従うが、云々」と述べて、第六字以外は稲岡氏釈文に従ったことを窺わせている。川端氏は自らの釈文を「陵の面にて相見え、識心の陵了するを示さん。時者」と訓み、文中の「時者」を、中国出土の買地券における立会署名人を意味する「時人」・「時知人」・「時傍人」等と同義の語と解釈している。したがって、その文意を「陵の前で相まみえ、識心が昇りあがることを認めるものである。立会人」の意であるとしている。即ち、川端氏は、本墨書を第一句五言、第二句五言、第三句二言の三句十二文字より成る完結した独立の一文として捉えており、その解釈においても一貫した文意を読み取り、本墨書をもって亡魂昇天の告示文とする独特の見解を提示している。

田村圓澄氏は、その著『古代東アジアの国家と仏教』所収の「法隆寺金堂釈迦三尊像台座の墨書について」(7)において、前記稲岡氏釈文と同一の釈文「相見丂陵面楽識心陵了時者」を掲げ、「陵の前において対面せよ、心の陵を識ろうと楽《ねが》い了《おわ》った時は」と解釈している。田村氏は右釈文中の「心陵」を「心の陵」と解しているが、「心の陵」とは、外的存在としての磯長陵に対して内的存在即ち本墨書の作者の内心に存在する陵、つまり磯長陵に葬られた上宮太子その人の内面を意味するものと解している。なお、田村氏は「十二文字には上文と下文があったと考えられるが、しかしそれらを欠いており、完結した文意を知ることは不可能である」と述べて、この墨書を首尾完結した一文とは認めていない。

概略以上のごとき諸説が提示する各釈文を列挙すれば、表1の通りであって、その見解は第三・第六・第十字の三文字について分かれているが、その他の九文字については異論は見えない。しかし、これら諸氏の解釈の釈文を写真版原文（図1）に照らして検討するとき、いずれの釈文も原文に合わない文字を含んでいるように思われる。

以下、本墨書の各文字の検討に入りたいが、その前提として本墨書の特色とも言うべき独特の書風について触れておきたい。およそ文字の判定のためには、まずその用字一般の書風と特色・傾向を把握しておかなければならないからである。

## 二、本墨書の書風

本墨書の各文字は、一見純然たる行書体の如くに見えるが、実は骨格において隷書体の筆画を色濃く見せており、例えば、第十一字「時」（図2）は、字画数十画の楷書体「時」に対応する行書体の如くに見えるが、実はその骨格において、居延出土の漢簡、図3の如き隷書体十一画の筆画を見せており、明らかに隷書体の「時」を行書風に崩した字形と言うべきであろう。また、末尾の第十二字「者」（図2）は字形偏平で、その結体（字画構造）と書風は隷書そのものとも言うべきであって、図4、図5の如き漢隷と同形の結体を見せている。

これら第十一・第十二字のみならず、第三・第七・第十字等にも古風な隷書風の筆画が見えており、本墨書は通常の楷書体に対応する通常の行書体で

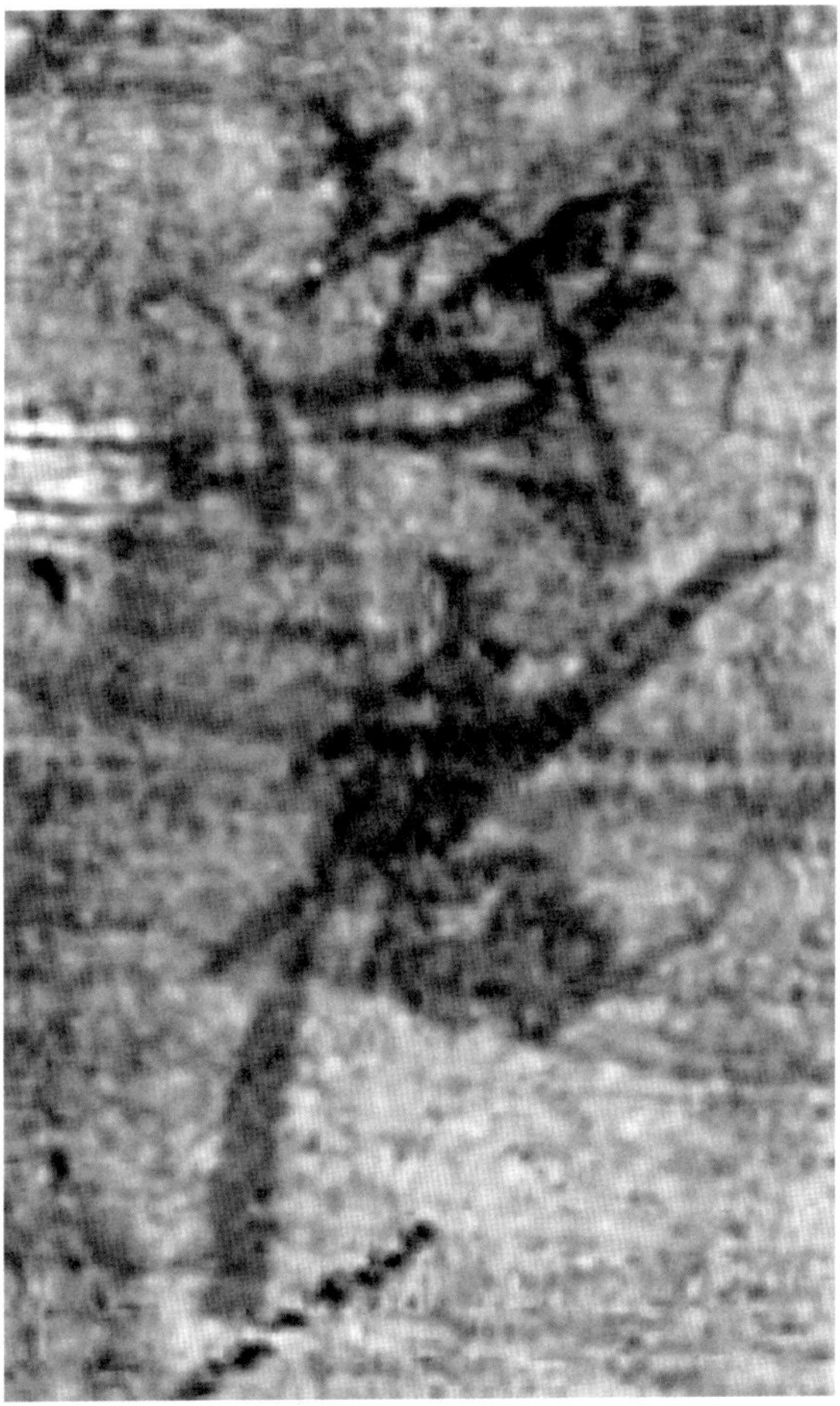

図2　法隆寺金堂釈迦三尊像台座裏墨書十二文字の第十一字・第十二字（写真／小学館）

図3
佐野光一編『木簡字典』（雄山閣、昭和60年）居延圖92-495-19、371頁

**図4**
佐野光一編『木簡字典』（雄山閣、昭和60年）新居延簡、586頁

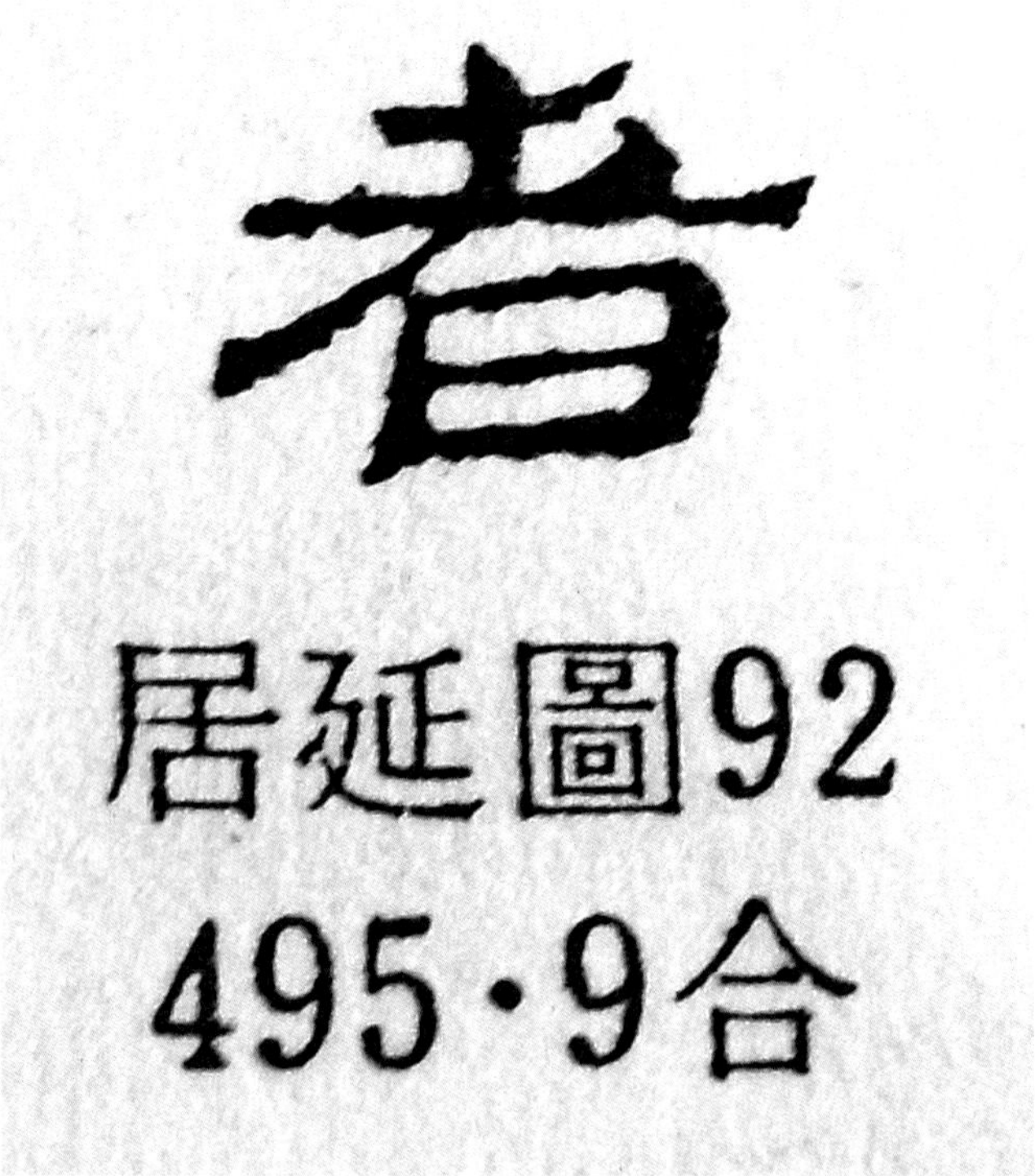


図5
佐野光一編『木簡字典』(雄山閣、昭和60年) 居延圖92-495-9合、586頁

はない。また、本墨書は、その筆画のうち特に右に斜降する墨線即ち捺を強調して長く引伸する傾向が見える。特に第七字「識」の旁の捺は、著しく長大であり、かつ、その起筆・収筆の筆遣いはまことに繊細である。この流麗ともいうべきその暢達した墨線は、更にその腰部において、繊細かつ尖鋭な淡墨の一線を帯びている。しかも、この文字の右肩に在るべき終画の一点（側）は、通常在るべき位置を遠く距てて、点というよりは、線というべき流麗な曲線を見せている。このような「識」の書風は実用的な文字のそれではなく、装飾的あるいは絵画的文字のそれというべきものであろう。

一般に、字画の一部を特に長大に強調する装飾的文字は、漢魏時代の大陸現地の木簡・刻石等にしばしば見受けられるところである。例えば、居延出土の漢代の木簡（図6、7）等その事例は少なくない。

また、三国時代、呉において使用せられた名刺木牘の板面に見える装飾文字「問起居」（湖南長沙走馬棲黄朝名刺）は、それが名刺に使用されたもの

図6
佐野光一編『木簡字典』（雄山閣、昭和60年）、居延圖473-214-22A、371頁

**図7**
佐野光一編『木簡字典』(雄山閣、昭和60年)、居延甲171-183-11B、193頁

である点において、これらの装飾的字形が戯れのものではなく、むしろ敬意を表するための儀礼的表現として趣向されたものであることを物語っている。

これら漢・魏の装飾的字形に比すれば、当該墨書の「識」の字形には、様式的に整備された装飾的文字というよりは絵画的文字というべき抒情的な墨線の奔放自在な流動性が表れている。本墨書の「識」の旁の終末部分を構成する捺（右下に斜降する墨線）・掠（左下に斜降しながら跳ね上げる墨線）・側（点）三筆の繊細流例な線形は相呼応して、そこに一個の場を描き出そうとするかの如き微妙な墨線構造を見せている。しかも、この「識」の小妙ともいうべき字形は、その直下の「心」字と一体的な文字を構成しているようにも見える。即ち「識」の掠は「心」の第三・第四両画二点の中間を斜降して、しかも「心」の字形の一画であるかの如き字相を見せている。「識」と「心」とが合して独立の一字を成しているかの如くである。この破格ともいうべき筆遣いと文字の構成には、何らかの意図が働いて、本文字の字形を他と異ならしめたものと思われる。このことは「識心」の文字が、この一文の字眼を成すものとして扱われていることを物語るものではあるまいか。

また、本墨書は一般にその用筆極めて繊細で、例えば第四字「陵」の旁「夌」の縦画入筆部、あるいは第十字の収筆部末端の撥ね返し等に見える如く、殆ど消え入らんばかりの筆触をみせているものがある。しかし、その墨線は繊弱なものではなく、繊細な筆線に弾力があり、あたかも若木の撓うが如き趣がある。他面、文字の配列には乱れがあり、整斉たる一行とは言い難い。しかし、各文字は全てそれぞれ自在に踊り、かつ舞い遊ぶかの如くである。ともあれ、本墨書の以上のような書風上の傾向あるいは特色に留意しつつ各文字の検討に入りたい。

なお、本墨書の文字の配列が傾斜しており、方形の板面に対して甚だ不整形であるのは、当該十二文字の配列を同一板面上の墨画の鳥と魚との傾斜配置の構図に対応させたためと思われる。もし、この墨画の鳥と魚との配置が上下垂直的であったならば、墨書文字の配列も上下垂直的なものになったものと思われる。即ち、墨書は墨画に後れて揮毫せられたものでかつ墨書揮毫者は傾斜配置の魚鳥画との調和を損なうまいとする配慮によって斜傾の筆を揮ったものであろう。もとより、背景の墨画は死後の魂魄に関わるもので、本墨書の内蔵する魂魄観・死後観と無関係なものではあるまい。

## 三、墨書各文字の検討と釈文

本墨書冒頭第一字については、表1の通り諸説一致して「相」と判読し、異説は見当たらない。しかし、これを「相」と読むことには従い難い。即ち「相」と判読されている本文字の旁の左縦画（㇀）と第一横画（㇐）の各入筆部の上方には図8の如く上下二箇所にわたって濃淡二点の墨点が認められる。その上側の濃色の一点（図8矢印A）は、本文字の主体部の墨色・筆勢・筆法等に照らすとき、これは異質の墨点であって、筆画としての形勢は見えない。板面上の汚点というべきものであろう。

しかし、その下側即ち本文字の旁の第一横画の起筆部に対してほぼ垂直に配されている短小微細な一点（図8矢印B）は、拡大鏡によって観察するとき、単なる墨の汚点あるいは板面上の損傷等と見なして無視することのできない筆勢を読み取ることができる。この墨点は極めて微細であるが、その最上部には起筆の筆尖が入った跡と思われる纖細な筆跡が認められる。もとより、筆を入れるや瞬時にして抜いたと思われるので一線を成すまでには至っていない。しかし、その纖細な筆触は本墨書のもつ書風上の特色としての縦画線入筆部の纖細な筆触と無縁のものとは考えられない。とは言え、この墨点は本文字を構成する点画としては、他の点画との均衡上、余りにも微細に

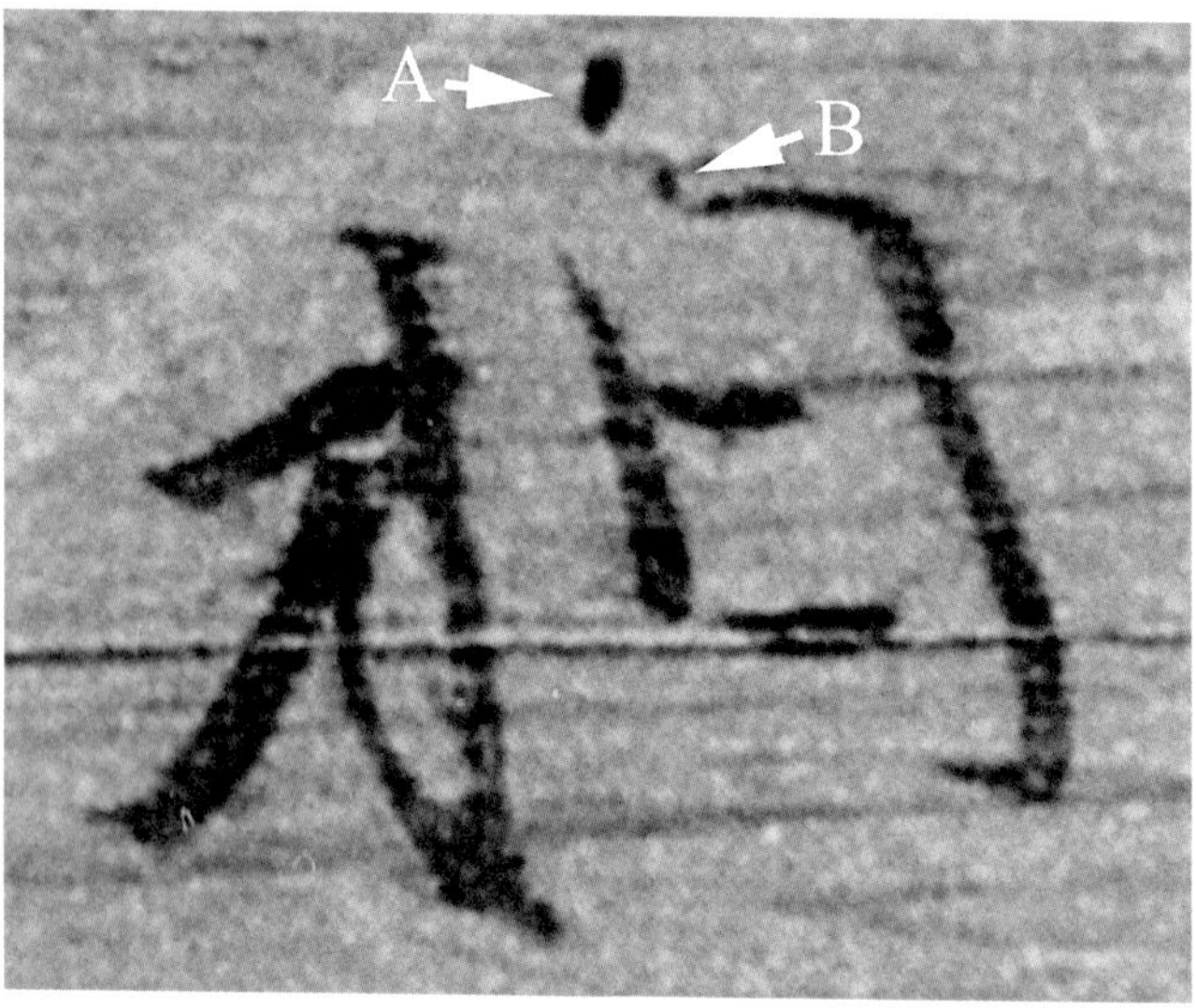


図8　法隆寺金堂釈迦三尊像台座裏墨書十二文字の第一字
（写真／小学館）

すぎるのではないかとの異論もあろう。

この種の微細な点画の事例は、柏の楷書体においてさえ稀ではない。例えば『北魏張猛龍碑』の碑陰に見える多数の人名中の「柏桃林」の柏の旁「白」の上部第一画たるべき「ノ」または「丨」の筆画は、その有無が疑わしいまでに微細である。その他この微細な点画の例として図9・図10等があげられ、その事例は少なくない。従って「柏」の行書体においては、この「白」が「日」の形を執り、上部第一画の「ノ」または「丨」が全く存在しない図11の如き事例も見える。あるいは、法隆寺金堂釈迦三尊像光背銘文（図12）の第六行第四・第五字「王身」（図13）の「身」の第一画は、いわゆる片仮名「ノ」の如き斜書きの「ノ」ではなく、垂直短小な「丨」であるが、その態様は本墨書第一字「柏」の旁の第一画「丨」に近似する微小な点画を見せている。また同銘文第一行末字「鬼」（図14）は、その第一画に「ノ」または「丨」を備えていない。

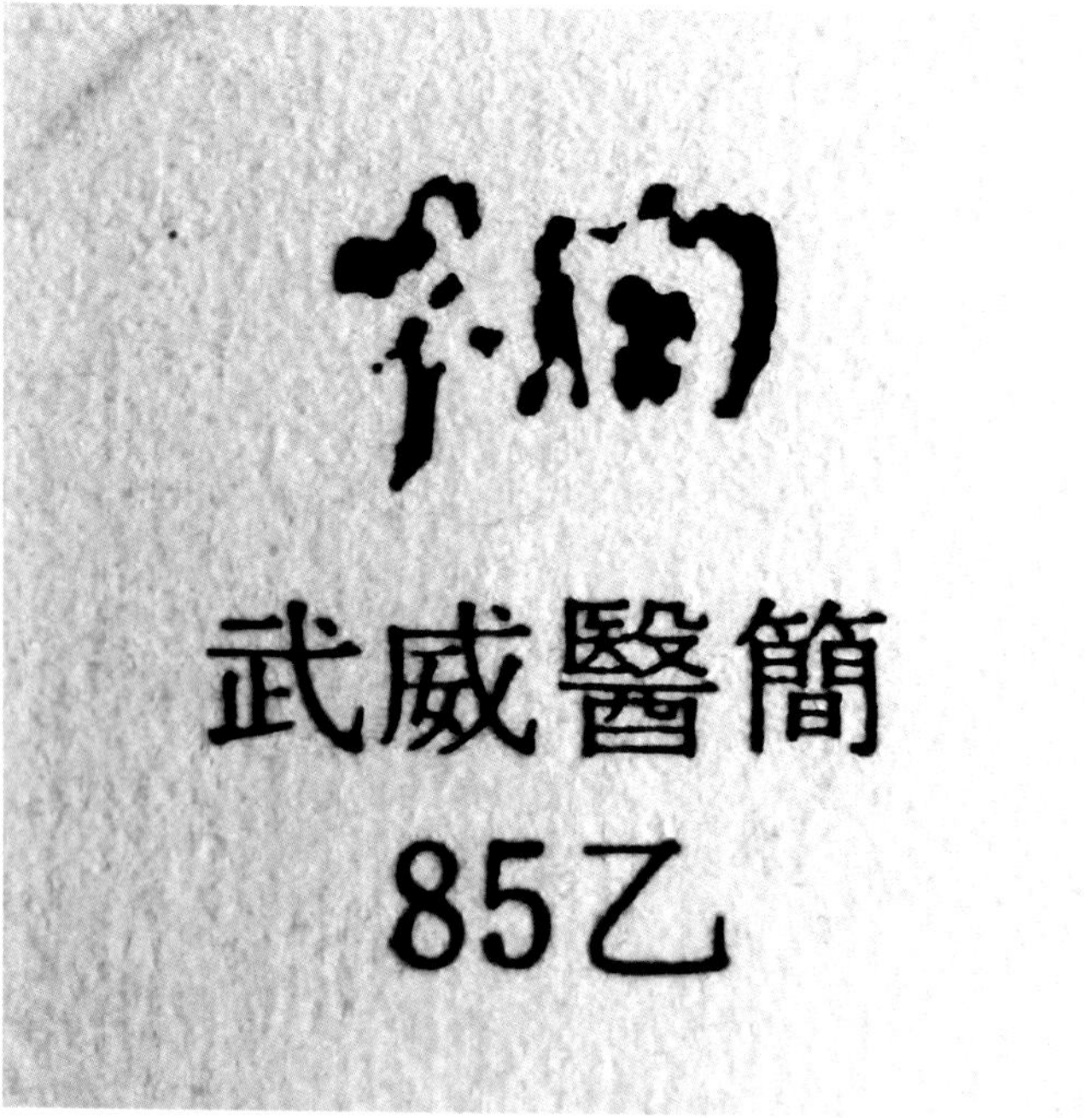


図9
佐野光一編『木簡字典』（雄山閣、昭和60年）、402頁

図10
伏見冲敬編『書道大字典』(角川書店) 上・1127頁

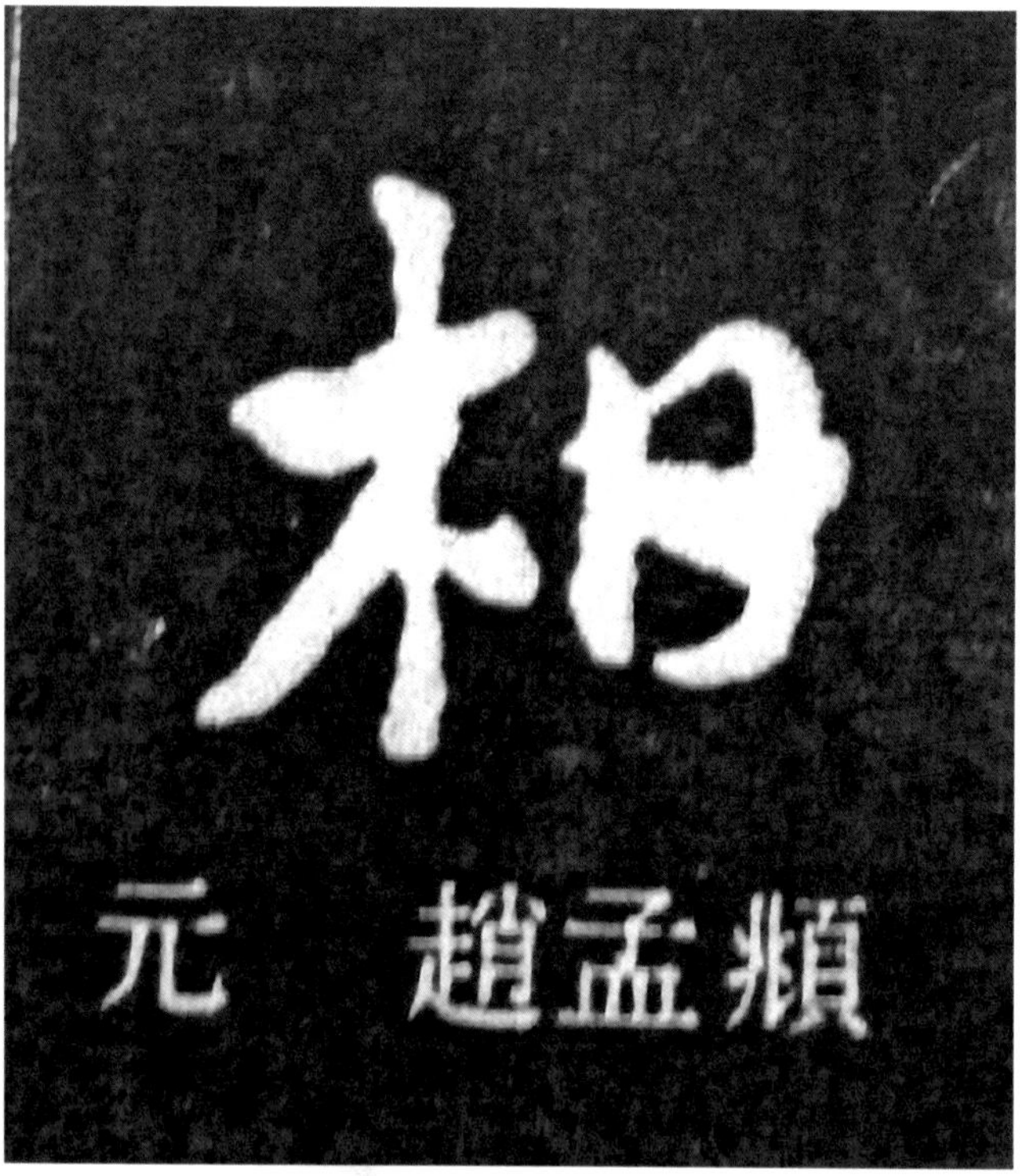


**図11**
伏見冲敬編『書道大字典』（角川書店）上・1127頁

図12　法隆寺金堂釈迦三尊像光背銘文（写真／小学館）

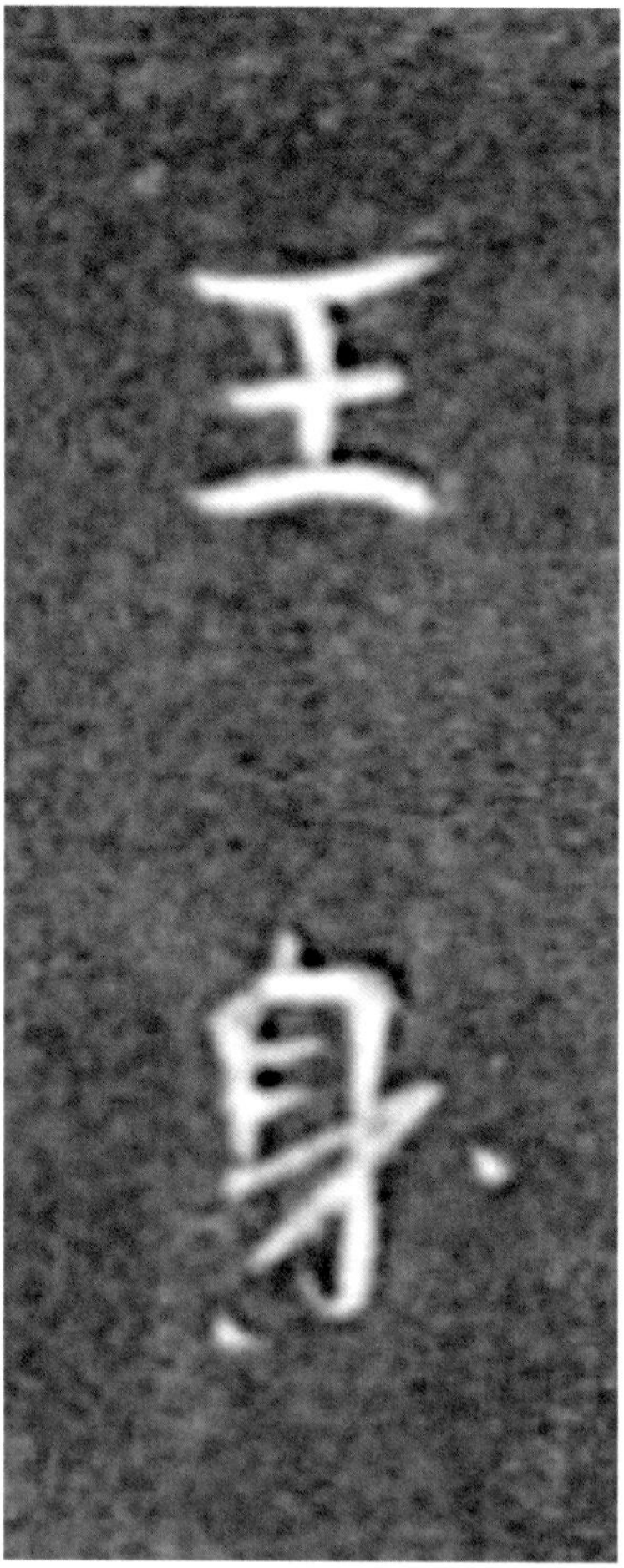

図13　法隆寺金堂釈迦三尊像光背銘文の第六行第四・第五字
（写真／小学館）

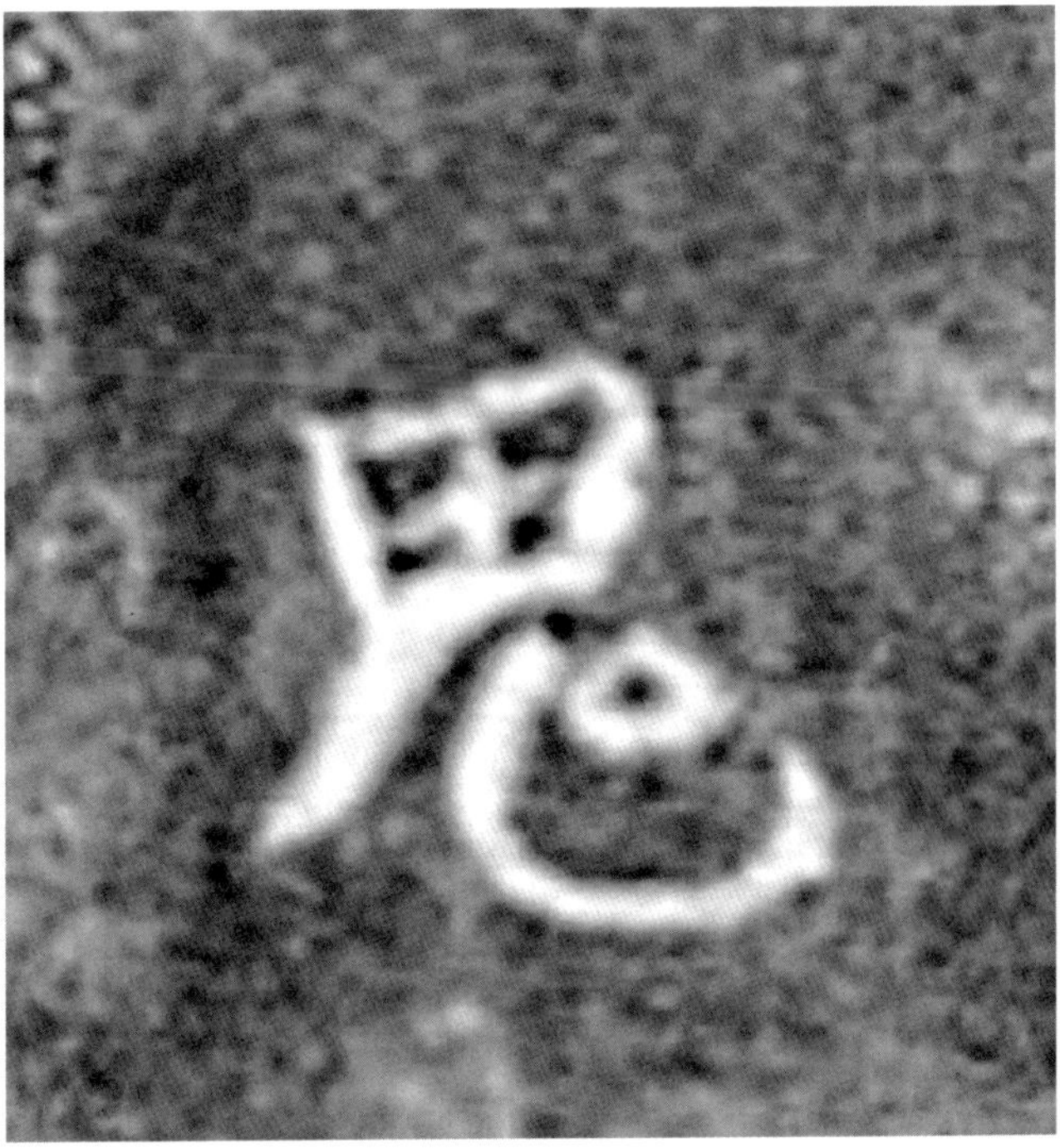

図14　法隆寺金堂釈迦三尊像光背銘文の第一行末字
（写真／小学館）

なお、本墨書第一字の旁の右縦画は、「白」の右縦画としては左縦画に比して長大過ぎるのではないかとの指摘を受けるかも知れない。しかし、「白」の右縦画は特にそれを長く強調しない実用的書体においても、その右縦画の長い事例は少なくない。これが意図的な強調をはかる場合は著しく長くなるのは自然の勢いと言うべきであろう。本墨書第一字の旁の右縦画は特に意図的に強調したものとは思えない。やや長めの筆跡と言うべきものであろう。

一般に上代における白・日両文字は、それが独立文字であれ、偏・旁であれ、その左縦画または右縦画が他方の右または左の縦画に比して、著しく長い事例が少なくない。例えば、法隆寺金堂薬師如来像光背銘文の第一行末「大御身労賜時」の「時」の偏旁のうち、その偏「日」の右縦画の如きは著しく長い。この傾向は、同寺金堂釈迦三尊像光背銘文第四行第四字の「時」(図15)の偏にも現れている。

**図15　法隆寺金堂釈迦三尊像光背銘文第四行第四字**
（写真／小学館）

また、その第八行目「二月廿一日」の「日」（図16）の右縦画は、その長さと末尾の筆の左払いの筆法において、本墨書第一字の旁の右縦画の筆法と可成り似ている。以上の所見に基づいて本文字は「相」ではなく「柏」であると考えざるを得ない。

しかし、本文字が「相」「柏」何れであるかを最終的に判定し得る動かしがたい根拠は、筆跡上の所見のみによって得ることはできない。本墨書一文の構文・用語・文意・文脈等の諸関係から見た論理的帰結を併せ加えることによって、動かしがたい根拠を得ることが可能となる。

即ち、一句六字、上下二句十二文字よりなる対句的構造を示す本墨書の構文から見て本墨書第一字即ち初句冒頭第一字は、字数不同ながら後句冒頭の「識心」（魂・心魂の義）と対偶関係を成す用語即ち「魄」（体魄・身体霊）と同義の語でなければならない。今、検討している「相」「柏」両字のうち、「柏」は「魄」と同音で、その音通の故に古来「魄」の仮借字として「魄」

図16　法隆寺金堂釈迦三尊像光背銘文第八行目「二月廿一日」の「日」（写真／小学館）

と同義に用いられてきた文字である。ところで、漢字「柏」は「魄」の他、仮借して迫・伯・敀等の各同音字とも同義に用いられることがある。特定文中の「柏」が、これら迫・伯・敀・魄等のうち、その何れの「ハク」の義に用いられたものであるかを判別するためには、その「柏」の用いられている当該一文の用字・用語・構文・文意・文脈等の諸関係の考察を通して得られる当該一文の精密な把握が必要である。ともあれ、本文字はその筆跡並びに本墨書一文の用語・構文・文意・文脈等の諸関係から見て、「相」ではなく「柏」と解すべきものと考えられる。

第二字については、これが「見」であることを疑う余地はあるまい。

第三字（図17）については、表1の通り「丂」「了」「可」三説が提示されているが、本文字を「了」または「可」の隷書あるいは行書風字形と見ることは困難である。本墨書第三字の字形について留意すべき点は、その第一画（横画）の中央部やや右寄りから第二画としての縦画が書き下され、その

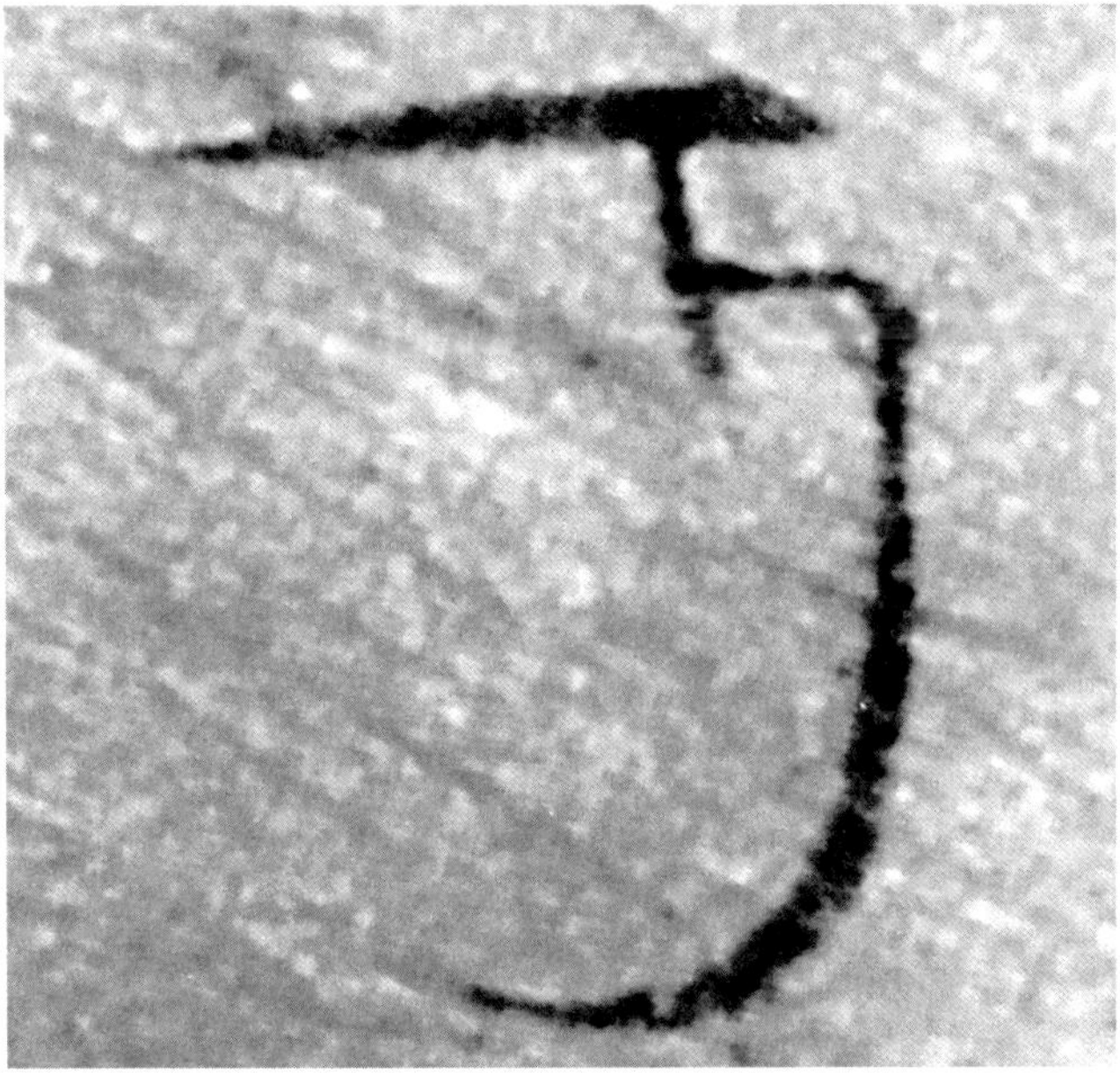

図17　法隆寺金堂釈迦三尊像台座裏墨書十二文字の第三字
（写真／小学館）

縦画直線の中央部やや下方から第二画とは別画の第三画（枝折れ状湾曲線）が分岐していることである。このような字形は、楷・行何れを問わず現代通行の字書の中にはその例を見い出し難いが、わずかに『金石大字典』(8)の中に、楷書体見出字としての図18の字形が見えており、その割注に「音考・皓韵」とあって、楷書体「丂」（音はカウ・コウ）と同字であることを示している。右字典のこの楷書体見出字（図18）に続く本文欄には、本字の字源に関わる篆・隷等多数の文字が見えている。これら諸文字の冒頭に掲げられた字形（図19）は、その割注によって『説文解字篆韻譜』より引いた篆書体字形であることが判るが、この字形は諸橋轍次著『大漢和辞典』(9)に見える見出文字「丂」の左に付された丂の篆文（小篆）の字形と同一のものである。諸橋辞典(9)の「丂」はその音を「苦浩切」とし、韻を皓韻としているが、これは前記『金石大字典』(8)の掲げる字の割注に見える「音考・皓韵」（図18）の音韻と同一であることを意味するものである。従って、この図18の字

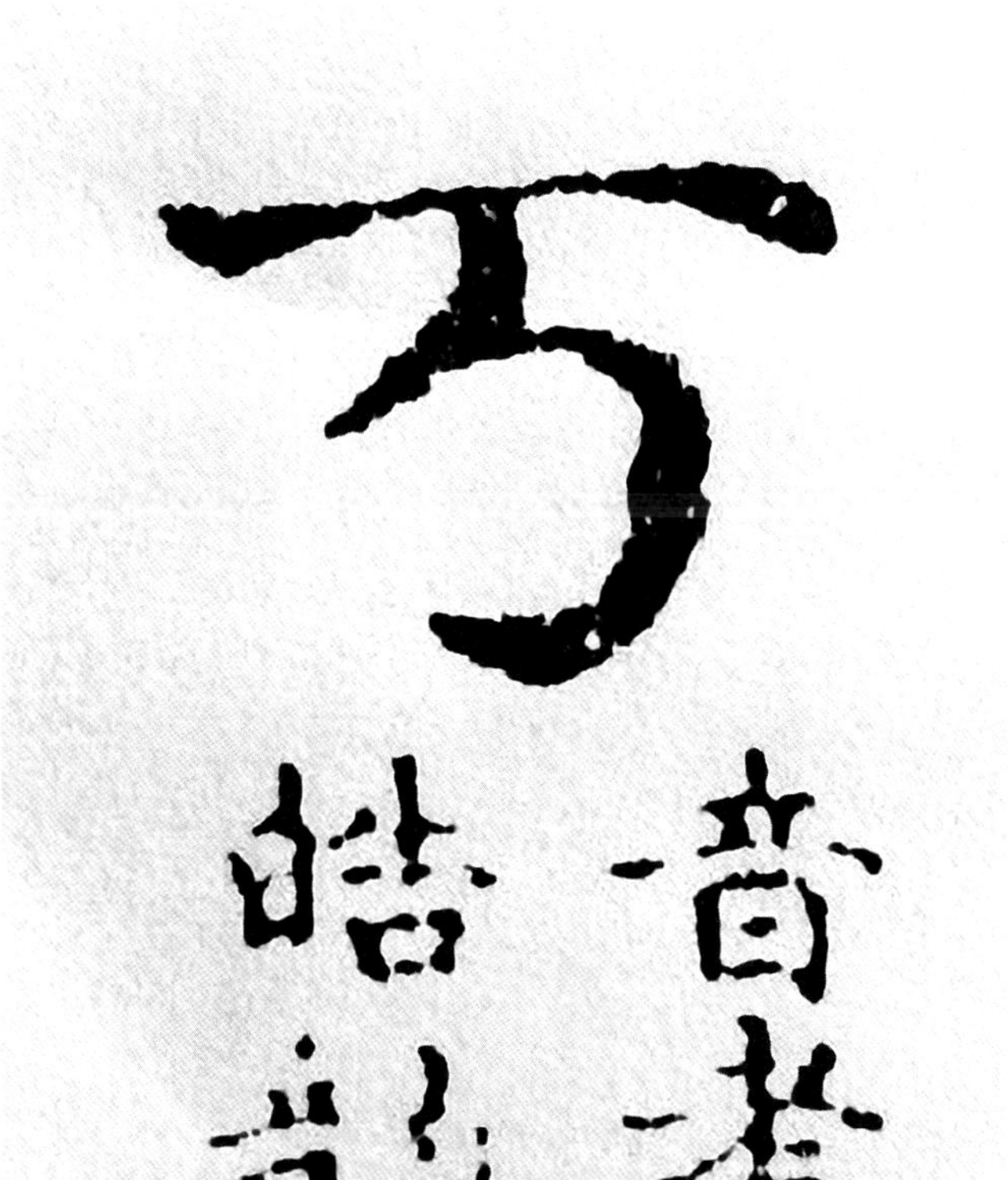

図18
汪仁壽、原輯編『金石大字典』（マール社）

図19
汪仁壽、原輯編『金石大字典』（マール社）

形は異形ながら諸橋『大漢和辞典』(9)所載の文字「丂」、即ち現行の活字体楷書「丂」と同字であると言い得るであろう。

第四・第五両字については、これがそれぞれ「陵」および「面」であることに疑点はない。

第六字については、「楽」とするもの、あるいは「保」「示」「未」とするもの等、四説が提示されている。「楽」と見るのはその字形を「楽」の草書体と解する故であろう。しかし、本墨書十二文字中、その十一文字が全て行書体であるにかかわらず、この第六字のみが草書体であるとするのは首肯しがたい。それはともあれ、第六字を「楽」の草書体あるいは「示」「未」の草書体または行書体等と解する説には従えない。拡大鏡によって観察するに、第六字(図20)の上下二本の横画のうち、第一横画の起筆部の上方には、矢印Aが指示するように左払いに斜行する短墨線、いわゆる啄(片仮名「ノ」の如き墨線)が認められる。しかし、第六字の第一横画の起筆部周辺には、

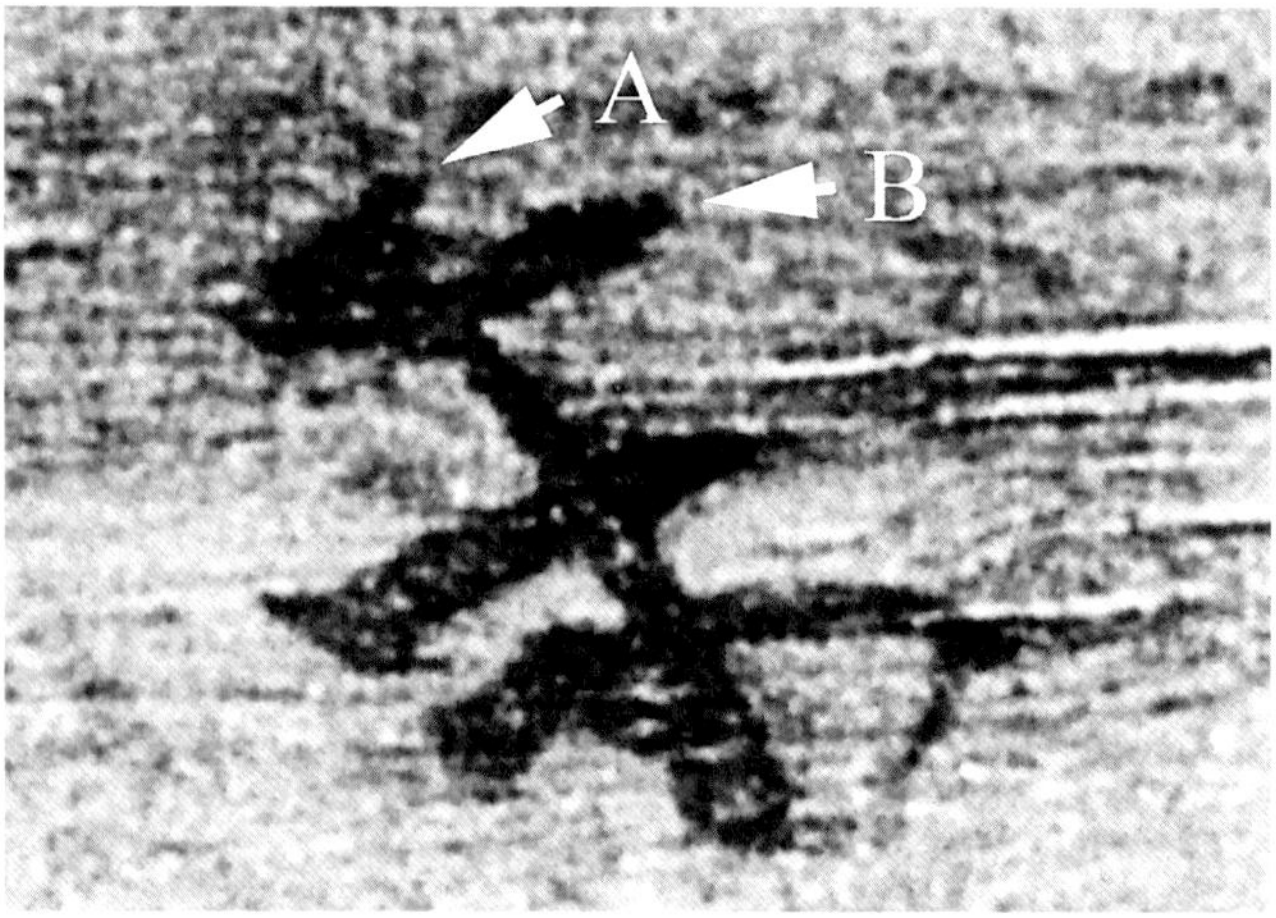


図20　法隆寺金堂釈迦三尊像台座裏墨書十二文字の第六字
(写真/小学館)

本墨書の背景にある墨色魚鳥画に関わるものと思われる雲霧状の薄墨が広がり、これが当該部分の板面上の杢目と重なりあって、墨線「ノ」（図20矢印A）の存在を不鮮明なものにしている。

しかしながら、この左払いの「ノ」が単なる汚点・陰影等ではないことは、この墨線「ノ」およびこれに続く第一横画の力強い筆勢によって明らかであろう。即ち、拡大鏡下に見えるこの墨線「ノ」は、第六字の主体部に比べて肉細かつ反りが浅く直線的であるが、その筆跡は先鋭である。これは筆先を鋭く速やかに動かすことによって自然に生まれた筆跡であろうが、その筆勢はそのまま第一横画の起筆部の筆勢に受け継がれており、一層鋭く強いものになっている。そして、その打ち込まれた尖鋭で強靭な筆は、反り返り気味に右に伸びながら、中途より肉太の墨線となって収筆部に入ってゆく。その収筆の筆はなお可成り強い筆勢を保ちながら一旦押さえの圧を加えて筆路を閉じているが、押さえの筆の右肩に更に重ねかけるように筆を加え、その筆を矢印Bの如く、軽く打ち止めている。その運筆の跡は拡大鏡のもとでは可成り鮮明である。つまり、左払い墨線「ノ」と、これに対応する第一横画、そしてその終末部に重ねかけるように添え打ちされた筆跡、これら三者は、一体となって楷書体漢字「ム」（私・某に通ず）の行書体の如き字形を形成している。

そして、この「ム」の行書体風の字画はその下の「木」と合して「呆」の異体字「⿱厶禾」（図21）の行書風字形としての第六字を形成しているものと考えられる。本来は同一の字で、意味も発音も同じでありながら字形が異なって二種以上あるとき、一方を他方の異体字と言い、有賀要延編『難字・異体字典』において「呆」と「⿱厶禾」は互いに異体字即ち同じ文字であることが示されている。即ち第六字は「呆」であり、現行楷書「保」と解することができる。なお、この第六字「呆」は「保」の同字であって保の省文（略字）ではない。諸橋氏『大漢和辞典』も「呆」について、『集韻』を引いて「保、

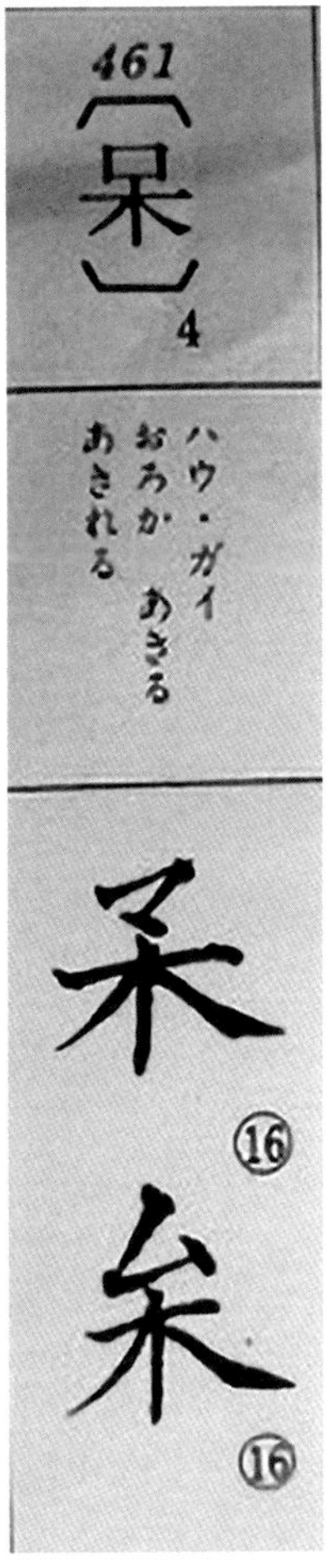


図21
有賀要延編『難字・異体字典』(国書刊行会)、44頁

隷作二保呆一」と記している。即ち保・呆は同字であって、共にその本字「𠈃」より転化した同音・同義の文字である。右辞典は「保」についても「或は呆に作り、古は𥝛・𥝢・𠍏に作る」と記し、その根拠を同じく『集韻』の同所の記事に求めて「𠈃、古作二𥝛・𥝢、𠍏一、隷作二保・呆一」と記して保・呆同字の根拠を挙げている。箇野氏『字源』にも「呆は保の古字」と見えている。また、『康熙字典』弁、似二字相似の部にも「呆、同レ保」と見える。

前記福宿氏は、この第六字「呆」を「保」の偏「イ」を省画した簡体字（略字）と解しているが、これを「呆」と解する点においては私見と同様であるが、「𠈃」の略字と見る点においては私見と相容れない。

第七・八両字については、既述の通りその書風に関連して特別の意義を見出すものであるが、文字そのものについては、これが「識」および「心」であることに何ら疑いはない。

第九字についても、これが「陵」であることは言うまでもあるまい。

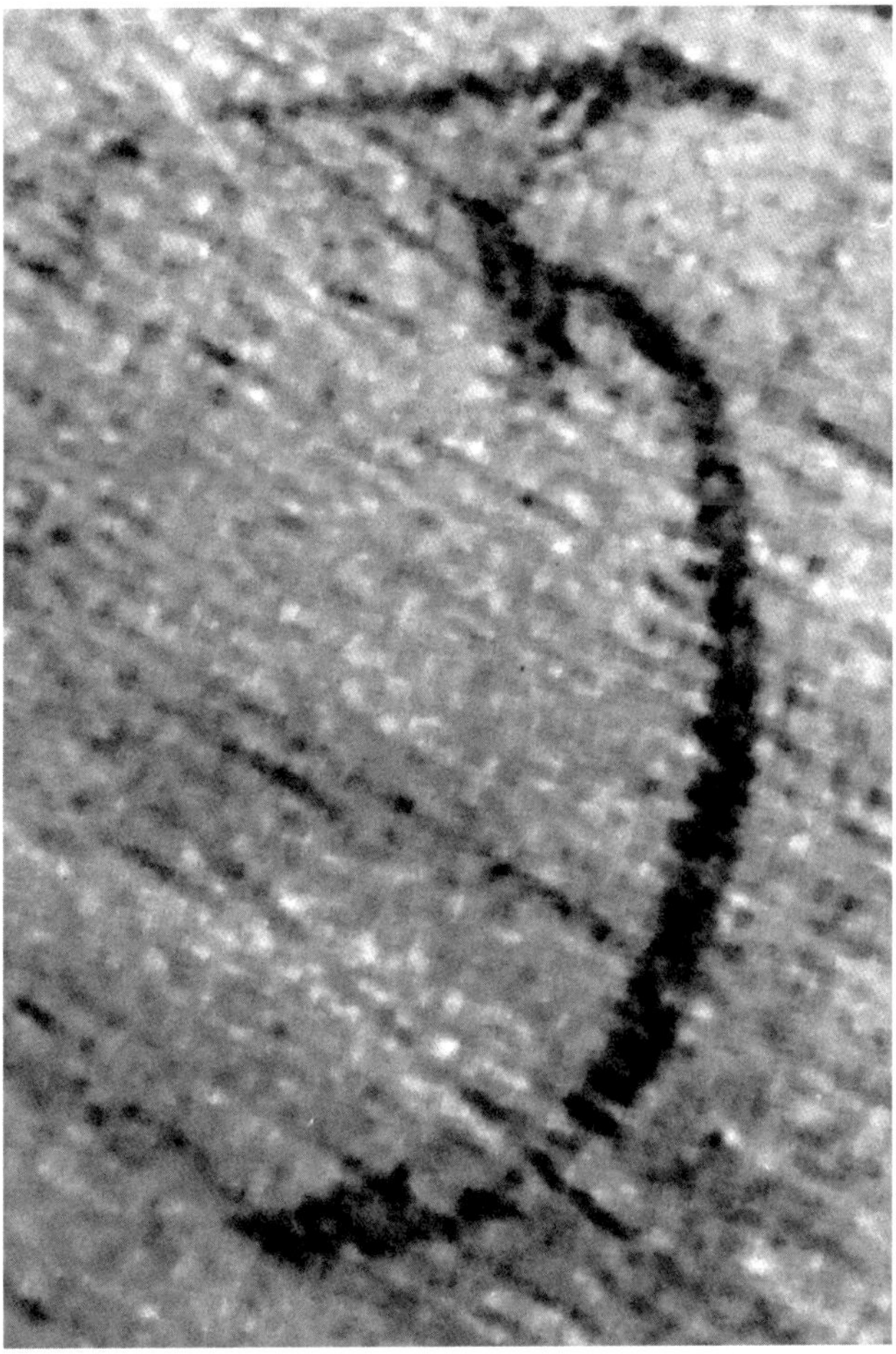

図22　法隆寺金堂釈迦三尊像台座裏墨書十二文字の第十字
（写真／小学館）

第十字（図22）については、可・了両説に分かれているが、本文字を「可」と見る説には従えない。もとより、「可」の草体であるとするならば、第十字の筆跡には、その可能性について論ずべき余地はある。しかし、本墨書一文の書風上の傾向・特色から見て、何れの文字にも草書体の可能性は認められない。この第十字について注目すべき点は、その字画構成、特にその下部の字画構成に特徴的な態様が認められることである。この態様は、第三字の下部の字画構造にも見られるものである。もとより第三・第十両字は互いに別字であり、その骨格上、大きな相違点がある。即ち、第三字においては、第一・第二両画が縦横たがいに直角状に接合しているのに対して、第十字においては、第一画の主体部である横直線部に第二画たる短縦直線の起筆部が直接には接合していない。しかし、この第十字の第二画としてのやや湾曲した短い縦直線の中央部から、終画（第三画）としての弓形状曲線が暢びやかな筆を起こしている形勢は、第三字の第二画（直線）の中央部やや下方から枝折れ状曲線が暢びやかに下降する形勢と似ている。この第三・第十両字の第二画たる縦直線と第三画たる湾曲線が、それぞれ、その第二画たる縦直線の末端に接合せず、中間部位において接合しているところに、この両字に共通する字画構成上の特徴的な態様を認めることができる。この特徴的な字画構成即ち「直線＋曲線」より成る複合的な字画構成は、独りこの第三・第十両字の字脚にのみ認められるものではなく、その終画部に弓形状・蛇行状・枝折れ状等の湾曲線をもつ篆文が隷文に転化する段階において屢々見られる類型的ともいうべき字画構成と言いうるものである。

例えば、楷書体「巳・先・化」等の文字の最終画に見える一本の湾曲線は、篆書体の巳・先・化においても一本の蛇行状あるいは弓形状等の湾曲線を成している。ところが、その一本の「湾曲線」は隷書体（図23、図24、図25）においては「直線＋曲線」という二本から成る複合的な字画構成に転化している。もっとも、この「曲線」は前記第三・十両字の「曲線」が左方向に湾

図23
藤原鶴来編『書源』(二玄社)、474頁

**図24**
藤原鶴来偏『書源』（二玄社）、122頁

**図25**
藤原鶴来編『書源』(二玄社)、188頁

曲しているのに対して右方向に湾曲している。これは両者の字源としての篆文の終画の形状に拠るものと推測する。ともあれこの図23、図24、図25の各隷文の終画部に認められる「直線＋曲線」から成る複合的な字画構成は、とりも直さず本墨書第三字および第十字下部の「直線＋曲線」から成る複合的な字画構成の態様と基本的には同様の構成といい得よう。もとより、その終画部に蛇行状あるいは弓形状等の曲線的字画をもつ全ての篆文が、右の如き「直線＋曲線」即ち曲直接合の複合的字画をもつ隷文に転化するとは限らない。例えば、図23、図24、図25の如き隷書体字形をもつ巳・先・化等の文字においても、このような字形の他に例えばその波磔の有無を度外視すれば、現行楷書体巳・先・化等の字形と何ら異なるところのない隷書体字形も存在する。

ともあれ第十字は、その字脚の曲直複合的な字画構成からみて、その篆文は、字脚が弓形状の湾曲線を成す図26（現行楷書「了」の篆文）と考えられ

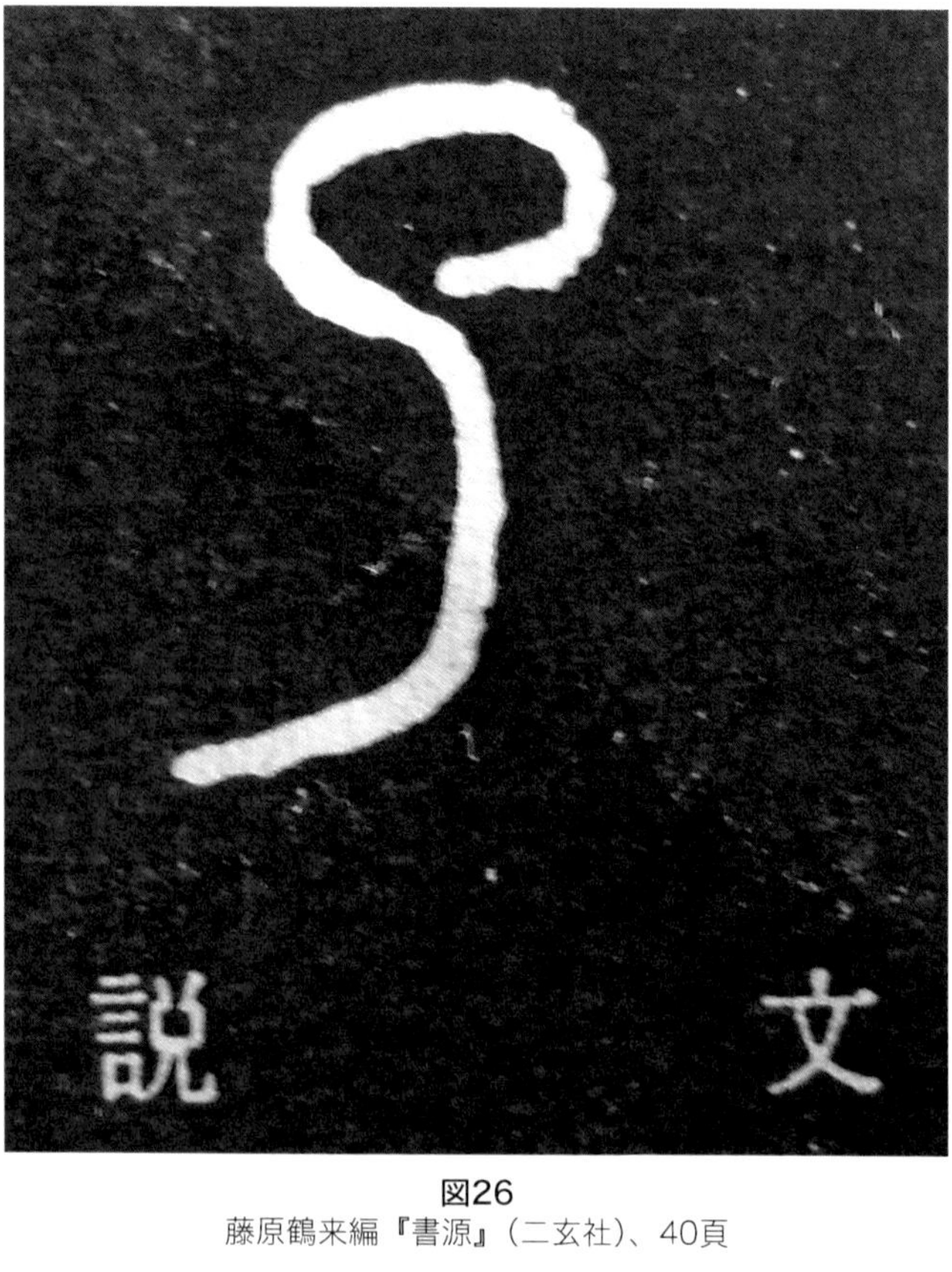


図26
藤原鶴来編『書源』(二玄社)、40頁

る。この篆文（図26）から転化した隷文には種々のものがあり、一般的には図27の如き字形が知られている。第三字あるいは第十字の如き字形の隷文は字書にも一般文献にも見えない。しかし、第十字の字脚の「短直線＋長曲線」という曲直複合の字画構造からみて、この第十字は篆文（図26）から転化した曲直複合型の字脚をもつ「了」の隷文を行書風に崩したものと解することができる。要するに第十字は現行楷書「了」に相当する文字と考えられる。

第十一・第十二両字については既にその隷書体としての字画の特徴について述べたが、それら両字がそれぞれ現行楷書体の「時」・「者」に当たることは自明であろう。

以下、その得た結論に従って釈文ならびに現代風訓読文を掲げてみたい。

**図27**
藤原楚水編『書道六體大字典』(三省堂)、20頁

［釈文］

柏見丂陵面呆識心陵了時者

［訓読文］

柏ハ陵面ニ見《あらは》レテ保《やすら》ヒタマヒ、識心ハ了時ヲ陵《しの》ギタマヘリ。

右の訓読文は音訓混読による現代風訓法に従ったものであるが、断定の語気・語調を表す句末の助辞「者」は訓読文においては読まない慣例に従った。この慣例に従えば、「者」は訓読上その表面に表れないけれども、当該一文の文意・文体上は断定の助辞として極めて重要な用字であって、当該一文の文意内容に断定的性格を与えるものと言うべき語である。この句末の助辞「者」については、後述の語釈において詳述したい。

ところで、本墨書の訓法は本来その原文成立当時の訓法に拠るべきものであろう。しかし、その原文成立当時の訓法が如何なるものであったか、即ち全文訓読あるいは全文音読さらには音訓混読等、その何れに拠るものであったか筆者はその実態を知らない。従って、本稿は右釈文の各用語についてその語義を明らかにした後に、改めて筆者の推定による上代風全文訓読文を掲げることにしたい。

## 四、語釈

**【柏】**

柏は、現在わが国ではカシワと訓んで橅《ぶな》科の落葉喬木槲《かしは》を意味するが、本来、漢字「柏」は、松柏科の常緑喬木としての扁柏《ひのき》・側柏《このてがしは》等を意味する文字で、上代わが国で柏《かへ》と総称された桧《ひのき》・椹《さはら》・児手柏《このてがしは》等を意味する語である。古く漢土では、この松柏科の柏を王侯・天子の陵墓に植える慣いがあり、天子の陵墓を指して柏城とも称するなど、柏と陵墓とは密接な関係にあった。

ところで漢字「柏《ハク》」は古来、樹木としての義の他、仮借して同音の「迫・伯・敀・魄」等の義にも用いられてきた文字である。特定一文中の「柏」が当該文中において樹木としての「柏」の義に用いられているのか、それとも「柏」と同音の「迫（せまる）・伯（大きい）・敀（打つ）・魄《たましひ》（身体霊）」等のうち、その何れの文字の義に用いられているのかは、既述の通りその「柏」字が用いられている当該一文の用字・用語・構文・文意・文脈等の関係によって自ずから定まるものである。特にその構文としての対句的構造に注目することによって判断し得るものである。即ち、本墨書一文が一句六字、上下二句十二文字より成る対句を構成するものであり、その初句冒頭の用語が「柏」、これと対偶関係にある後句冒頭の用語が「識心」（魂の義）であることより判断して、初句冒頭の「柏《ハク》」は、後句冒頭の「識心」（魂）に対応すべき「魄《ハク》」の仮借字としての「柏」であることが明らかであろう。

即ち本墨書第一字「柏」は、同音字「魄」（身体霊、体魄）の意において用いられた仮借字に他ならない。

　ところで、「魄」は古来わが国では「魂」同様タマシヒと訓み伝えられているが、本来漢字「魄」の意味するところは、タマシヒ（魄）・カラダ（身体）・カタチ（形）・スキマ（隙）・ツキノヒカリ（月光）等甚だ多義であるが、タマシヒとしての「魄」は身体を司る霊、即ち身体霊（形体霊）として、体魄・形魄・躯魄とも称され、身体を司る霊的能力即ち肉体的機能の本質あるいは肉体の主宰者と考えられ、精神を司る霊的能力即ち精神的機能の本質あるいは精神の主宰者としての「魂」とは区別された概念である。視・聴・嗅・味・触等五官による感覚機能は、この「魄」の司るところと考えられた。

『礼記』郊特牲に「魂気帰㆓于天㆒、形魄帰㆓于地㆒」[10]と見えるように、仏教流入以後はともかく仏教流入以前の漢土においては、死後、人の精神の主宰者たる魂は肉体を脱して天に帰して天の陽気に合し、肉体の主宰者たる魄は肉体とともに地下に下るが、肉体の廃滅後、さらに地底深く降って地の陰気に合するものと考えられた。帰するとは、その本源に復帰する意であり、合するとは、その本源たる天の陽気または地の陰気と一体化することを意味するものと思われる。漢字魄《ハク》は、既述の通り古来わが国において魂《コン》と同様にタマシヒと訓まれてきたが、平安期には魂をヲタマシヒ、魄をメタマシヒと訓み分けて異字同訓による混乱を避けることもあった。ともあれ、本墨書冒頭の「柏」（魄・体魄）はその構文上、第七・第八字「識心」（魂・心魂）と対偶を成しているが、「識心」を和風にタマシヒと訓むならば「柏」はこれと異なる訓としなければなるまい。さりとて平安期風にメタマシヒと訓むならば「識心」（魂）は対応上ヲタマシヒと訓むのが自然であろう。しかし、この平安期の訓法に準ずることは上代風語感に乏しい。従って、本稿は本墨書の上代風訓読を試みる必要上、身体霊としての「魄（柏）」と同義の「体魄」を仮に「体魄《ミタマ》」と訓み、この字訓ミタマを「魄・柏」両語の訓に当てて共にミタマと訓み、「識心」は古来のままにタマシヒと訓み分けておきたい。なお、「体（體）」を「身」と同様にミと訓む事例としては『続紀』神護景雲三年十月乙未朔の詔に「體《ミ》方灰止共尓地仁埋利奴礼止名波烟止共尓天《アメ》尓昇止云利」(11)と見えている。もとより本稿が柏（魄・体魄）を仮りにミタマと訓むそのミは、身《ミ》・体《ミ》を意味する乙類ミであって、御魂《ミタマ》・御魄《ミタマ》・御霊《ミタマ》等敬意を表す御《ミ》即ち甲類ミではない。また上代、身《ミ》が他の語と複合して一語を形成する場合、そのミはムに転音する慣いがあった。例えば、身代《ミカハリ》が身代《ムカハリ》に転音する如く体魄《ミタマ》・身魄《ミタマ》はムタマに転じた筈である。従って、この柏（体魄《ミタマ》）を上代風にムタマと訓むことによって御魂《ミタマ》・御魄《ミタマ》等の敬意を表す「ミ」との混同を避けたいと思う。

**【見】**

見は、ミル・ミユ・マミユ・アラハル・アラハス・サトル等多義であるが、ここではアラハル（露・顕・現）の義に用いられている。『広韻』に「見、露也、現、俗」とあって、アラハル・アラハスの義における正字は「見」で、「現」は見の俗字であるとしている。白川静氏著『字通』では「見」の解説に当たって、『爾雅』（釈詁）に基づいて「覔《あら》はる」とするのがよく、霊が現れる意であるとしている。即ち本墨書第二字「見」は第一字「柏」即ち身体霊としての魄霊が「陵面」に現れることを意味している。「見」即ちアラハル（現）の用例としては『書紀』白雉元年二月条に「白雀見于一寺田荘国人僉日休祥」（白雀《しろすずめ》、一寺《あるてら》ノ田荘《たどころ》ニ見《あらわ》レキ。国人僉、休祥《よきさが》ナリト曰《い》ヘリ。）と見えている。

【丂】

丂《カウ》は于《ウ》の本字「亏《ウ》」に通じて用いられる古字である。諸橋轍次著『大漢和辞典』(9)にも『説文』を引いて「丂、古文以為二亏字一」とあり、さらに段玉裁の『説文解字注』を引いて「亏与㆑丂音不㆑同、而字形相似、字義相近、故古文或以㆑丂為㆑亏」と解説しているように、その字音は「丂《カウ》」「亏《ウ》」互いに異なるが、字義は略同義の文字として用いられている。即ち、丂は亏・于・於・乎等に通ずる語で、本墨書では句中の助辞として場所を示す「・・・ニ」の意に用いられている。

**【陵面】**

陵面は、地面・水面・山面等の如く、陵の表面・陵の上の意であるが、その陵とは、必ずしも「みはか」「みささぎ」等陵墓の義とは限らない。漢字「陵」の本義は「大きな丘」の意であって、丘陵・小山を指すものである。いわゆる王侯天子の墳墓としての陵を意味するのは、後世の第二義というべきである。漢字本国においては、王侯天子の墳墓は古昔には単に墓と称されたが、春秋以来これを丘と言い、秦に至って山と言い、漢以降、陵と称するに至ったとされる。本墨書に言う陵面とは、第二義的意味での陵墓の墳丘の表面・墳丘の上を意味する語であるが、同時にその第一義的意味での丘陵・小山の表面をも意味するものと考えられる。

ところで本墨書の「陵面」をいかに訓むべきであろうか。墳墓としての陵は一般にミササギと称されているが、上代我が国において、その墳墓としての陵が常にミササギと訓まれていた確証はない。万葉集の歌にもミササギと訓むべき歌詞は見えない。集中、巻二所収の「従二山科御陵一退散之時額田王作歌一首」と題する長歌（一五五番）に見える「八隅知之《やすみしし》　和期大王之《わごおほきみの》　恐也《かしこきや》　御陵奉仕流　山科乃《やましなの》　鏡山尓《かがみのやまに》　云々」の第四句は、古来「御陵奉仕《みはかつかふ》流《る》」と七言に訓まれており、ミササギツカフルと八言に訓む例は見えない。集中の歌詞にはこの歌の「御陵《みはか》」の他には「陵」「御陵」等の歌詞は見えない。ただし、題詞としては右の如く「山科御陵」の語がただ一例見えている。この題詞中の「山科御陵」を日本古典文学全集『万葉集』は山科《やましなの》御陵《みはか》と訓んでいるが、岩波文庫『新訓万葉集』では山科《やましなの》御陵《みささぎ》と訓んでいる。

ところで記紀には天皇ならびに皇親に関わる「陵」「御陵」の語が多数見えるが、この語に対する諸本の訓は、ハカ・ミハカ・ミサザキ・ミササギ等区々であって一定していない。従って上代通行の訓が何であったかを確定することは困難である。しかし、鹿持雅澄は『萬葉集古義』[12]において右長歌（一五五番）に見える「御陵」について「さて古は天皇のをも、なべては美波加と云けむを、やや後に天皇のをば美佐々伎と申し、自余のをば波可と称て分てるなるべし」と述べている。「やや後に云々」と、時期に関して漠然たる所論ながら、その言わんとする大体は従うべき説であろう。この『古義』の説と万葉集一五五番歌の「御陵奉仕流《みはかつかふる》」の古来の訓とに従えば、本墨書の第四・第五字「陵面」の「陵」はミハカ（美波加）またはハカ（波可）と訓むべきであろう。従って、本墨書の「陵面」は天皇・皇后以外の皇親の陵に関わる語と思われるので、ハカノヘ（陵の上、陵の表面の意）と訓むことする。

なお、律令体制確立以前における墳墓としての陵とは、現代の如く天皇・皇后・皇太后・太皇太后の墳墓のみを意味するものではなかった。皇位に即くことのなかった小碓命（景行天皇皇子）の墳墓についても『書紀』は「葬於伊勢国能褒野陵」（景行天皇四十年条）と記しており、また上宮太子の墳墓についても「葬上宮太子於磯長陵」（推古二十九年二月条）と記している。しかし令制完成後の延喜式（巻二一・諸陵寮）には、小碓命の能褒野陵は能褒野墓、上宮太子の磯長陵は磯長墓と記されて、公式記録上も陵と区別されている。

従って、律令体制成立以前の文言としての本墨書の「陵面」を帝陵に関わる用語とのみ解することはできない。殊に、本墨書を内蔵する二重式台座上壇に安置された釈尊像の光背銘に「当ニ釈像ノ尺寸王身ナルヲ造ルベシ」（当造釈像尺寸王身）と彫り伝えられているその王身が、上宮厩戸王その人の王身を意味するものと解することが自然である以上、この墨書一文中の「陵面」とは、帝陵の墳丘の上を意味するものではなく、前記『書紀』に「葬上宮太子於磯長陵」と見えるその磯長陵、即ち後世『延喜式』に見える上宮太子の墳墓「磯長墓」の墳丘の上を指すものと解するのが自然であろう。

## 【呆】

第六字（図18）は既述の通り保と同字の「呆」の異体字「灳」であり、その字音・字義は保と異ならない。即ち、その音はハウ、その義はタモツ（保）・マモル（守）・ヤスンズル（安）・ヤシナフ（養）・ウケアフ（請合）・サダメル・サダマル（定）・ヤトハレビト（傭人）・モリ（太保）・トリデ（砦）等甚だ多義であるが、本墨書の「呆」（灳・保）は「安んずる」あるいは「定まる」の意に用いられているものと解される。ところで、既述の通り本墨書の現代風訓読文においては「保」をヤスラフと訓んだが、ヤスラフの語がいわゆる「安らふ」の意において用いられるのは近世以降のこととされ、古代においてヤスラフとは、躊躇する・ぐずぐずする・立ち止まる・滞在する等の意であったとされるので、上代風訓読文においては「安んずる」「安定する」「定まる」「鎮まる」等の意においてシヅマルと訓むこととする。「心安らかに事穏やかに安定する」意である。

## 【識心】

識心は勝鬘経義疏その他の経・疏等に見える漢訳仏教用語である。『仏教大辞典』等によれば、識心の「識」は梵語vijñāna（ヴィジュニャーナ）の漢訳語で、Ｖｉ（ヴィ）は分類・分別・分析の意であり、jñāna（ジュニャーナ）は知を意味するとされる。即ち、識（ヴィジュニャーナ）は、対象を分析的に思惟する認識能力である。「心」即ちcitta（チッタ）は、その認識活動の主体、いわゆる心王を意味するものと考えられる。要するに識心とは人間の最も人間的な特性と言うべき複雑精緻な認識活動を営むその理性的精神機能の主体・根源を成すものであって、思考活動を発動し統括する言わば精神活動の主宰者とも言うべきもので、それは人間生得の天性であって、その存在と活動は永久不滅のものと考えられていた。上代わが国でタマシヒ（多麻之比）と訓んで漢語の魂・心魂・魂気・知気・識神・識性・神識・霊識・精神・神等の語に当たるとされてきたものである。

ともあれ、本墨書第七・第八字「識心」は、第一字「柏」即ち「魄」（体魄）に対応する用語としての「魂」（心魂）に相当する語としてタマシヒと訓む古来の慣例に従いたいと思う。

**【陵】**

第四字の「陵」が名詞的用法であるのに対して、この第九字の「陵」は動詞として用いられたもので、シノグ（凌ぐ、陵ぐ）・コユ（越ゆ）、即ち「凌駕する」の意である。ここではシノグと訓みたい。

## 【了時】

了時の「了」はヲハル・サトル・サトシ・アキラカ等多義であるが、ここではヲハル（終わる・畢る・了る）の意に用いられている。了時とは了ル時・了リノ時、いわゆる万事終了・万事了畢の時を意味する。従って「了時」は「終時」と同義に用いられる場合もある。『書紀』大化五年三月の条に「所二以来一レ寺、使易二終時一」とあって、「終時」を死没の時の意に用いているが、本墨書の「了時」も死没の時を意味している。本墨書の「了時」は、上位皇親の命終の時を意味するものと解釈できるので、上代の訓法を推定してカムサリマシシトキと訓むことにしたい。

## 【者】

者は通常、人・物・事等を指して言う「モノ」の義に用いられる他、事を別つ助辞として「・・・ハ」「・・・トハ」、あるいは順接の助辞として行者（行カバ）、不行者（行カザレバ）の如く「・・・バ」「・・・レバ」と用いられることが多い。また、「者」は「也」と同じく句末にあって決定・断定の語気・語調・語勢を表す助辞として用いられることも少なくない。本墨書の「者」は、その決定・断定の助辞としての用法であって、句末に据えられて一句の文意に断定の語気・語調を添えている。もとより、断定の助辞「者」は一定の語義を有する実字ではない。従って既述の通り、訓読文においては読まない慣例で、本墨書の第七字以下は「識心ハ了《をは》リノ時ヲ陵《しの》ゲリ」あるいは「識心ハ了時ヲ陵《しの》ギタリ」「識心ハ了時ヲ陵《こ》エタリ」等と読むのが通例であろう。しかし、その断定の助辞「者」の存在を訓読上無視し得ないままに「識心ハ了時ヲ陵《しの》ギタル者《ナリ》」等、「也」と同様にナリと訓むことは許容されて然るべきであろう。

句末の助辞としての「者」の用例としては『孟子』離婁章句（下）第十章に、「孟子曰、仲尼不レ為二已甚一者」の一文が見える。この一文の仲尼以下七文字「仲尼不為已甚者」を箇野道明著『孟子通解』(13)は「仲尼は已甚《はなは》だしきことを為さざる者《もの》なり。」と読み、小林勝人訳注『孟子』(14)は、「仲尼は已甚《はなは》だしきことを為さざる者《ひと》なり。」と読んでいる。また、諸橋轍次著『大漢和辞典』(15)は「チユウヂハハナハダシキヲナサザルモノ」と読んでいる。即ち、不読文字たる句末の助辞「者」を「者《モノナリ》」「者《ヒトナリ》」「者《モノ》」等と訓んで、あたかも人を指して言う「モノ」あるいは「ヒト」に相当する用字であるかの如き訓法を見せている。しかし、断定の語気・語調を表す句末の助辞としての「者」の存在からみて、この『孟子』の一文は「仲尼ハ已甚ダシキコトヲ為サズ」と断定的に読み取るべき孟子自身の断乎たる確信を述べている。「仲尼即ち孔子は断じて中庸の道を踏み外すことはなかった」と信じて疑う

**表2　対置比較—者**

| |
|---|
| 仲尼不レ為二已甚一者（仲尼ハ已甚ヲ為サズ） |
| 識心不レ陵二了時一者（識心ハ了時ヲ陵エズ） |

ことのない孟子自身の確信的認識を吐露したものであって、孔子の人柄を解説的に「仲尼は中庸の道に反することは決してしない人であった」と説明しているのではない。

要するに、句末・文末の不読の助字「者」のもつ断定的語気・語調を読み取ることによって、その一文が作者の確信に基づく揺るぎない認識の表白であることを了解すべきであろう。ともあれ、『孟子』の「仲尼不為已甚者」の文末の「者」が本墨書第二句「識心陵了時者」の句末の「者」と同一の用法であることは、両文の構文上疑うべくもあるまい。対比上、仮に本墨書第二句第三字「陵（しのぐ・こゆ）」に否定詞「不」を付して七言に改め、表2の如く対置して両文の構造を比較すれば、両文たがいに同種同様の構造であることが明らかであろう。

## 五、上代風訓読文とその文意・思想

以上の語釈に基づいて、本墨書を左のごとき全文訓読の上代風和文に改め、本稿としての最終的な訓読文として提示すると共にその文意と思想に触れてみたいと思う。

［点付釈文］

柏見二丂陵面一呆、識心陵二了時一者

［上代風訓読文］

柏《むたま》ハ陵面《はかのへ》ニ見《あらは》レマシテ呆《しづ》マリタマヒ、識心《たましひ》ハ了《かむさ》リマシシ時ヲ陵《しの》ギタマヘリ。

［大意］

故人の柏（魄・体魄）即ち身体霊は墳墓の丘の上に現れてそこに安らかに

鎮まりたまい、また、その識心（魂・心魂）即ち精神霊は死没の時を遥かに凌駕する英明をもってその精神活動を続けて止みたまうことはない。

大意は、およそ右の如きものであろうが、作者は第一句「柏見㆓丂陵面㆒」において、「故人の肉体は墳墓に葬られて地下の幽暗の中に横たわりやがて腐蝕して土と化し去るであろうが、故人の身体霊即ち身体機能の本質たる魄（柏・体魄）は肉体を脱して自ら墳墓の丘の上に現れ、そこに漂う清明の気に包まれて安らかに鎮まり、死後もなお永遠の平安を楽しんでおられる」との認識を述べ、第二句「識心陵㆓了時㆒者」において「故人の精神霊即ち精神機能の本質たる魂（識心・識性・心魂）は没後さらにその英明の度を高め、無碍自在の精神活動を続けて永久に止みたまうことはない」との認識を句末の助辞「者」のもつ断定的語気・語調をもって確信的に記しとどめている。この文意から観て、本墨書一文は明らかに魂魄二元観に立つ人間観に基づく死後観に関わる述懐である。

ところで、人間を肉体と精神の二元より成るものと捉え、その肉体の機能を司る本質を魄あるいは体魄・形魄等と称し、精神の営みを司る本質を魂あるいは心魂・神識等と称して、この両者の一体的結合状態を生とし、その分離を死と捉える人間観としての魂魄二元観ならびに、この二元観に立脚する死後観は漢土においても既に周代には現れている。しかし、漢土においては周代はもとより、秦漢以後においても本墨書に見えるような死後観は見い出し得ない。人の死後「その身体霊即ち魄（柏・体魄）は自らその身体を脱して墳墓の丘の上に現われ、そこに漂う自然の気の中に鎮まり安らう」というような清明にして平安かつ自足的な死後観は漢土においては見い出し得ない。また、人の死後「その精神霊即ち魂（識心・心魂）は生前を凌ぐ英明をもって、その旺盛な精神活動を続けて止まない」とする高邁かつ自律的な死後観も見い出し得ないように思われる。西来の仏教流入以前における漢土の魂魄観・死後観は、既述のごとく『礼記』郊特牲に「魂気帰于天、形魄帰于地、故祭求諸陰陽之義也。殷人先求諸陽、周人先求諸陰。」[10]と見えるように、死後、人の魂気(魂)はその肉体を脱して魂の本源たる天に復帰して天の陽気に合し、形魄(魄)は死後その肉体とともにその本源たる地下に葬られ、肉体の廃滅後、魄はさらに地底深く下って地の陰気に合し、爾後永久に地底に留まったまま地上に現れることはないとするものであった。もとより漢土においても、このような魂魄観・死後観は時代の変遷とともに仏教その他の影響を受けて一定しなかったが、本墨書に見えるような死後観は遂に現れることはなかった。魂は天に帰す陽気として天に去り、魄は地に帰す陰気として地中に潜行して、それぞれ分かれていくとする大陸思想をそのまま受容する観念とは異なる上代飛鳥人の魂魄観念が、この十二文字には流れている。その異るものとは、即ち「柏(魄)は陵面に見はれて保らい」(柏見丂陵面呆)と言う一句に表れている観念である。人間の死没後、その肉体の主宰者たる「魄」は地中に入って、そこに帰属して地上に現れることはないとするのが大陸思想としての道教的観念であるが、この十二文字の第一句にあっては、「魄」は「陵面」（山上、丘陵表面あるいは墳墓表面）に現れ出でて、そこに憩い安ろうて人間界を俯瞰しているのである。この「魄」の在り方をめぐる相反する観念は何に由来する相違であろうか。

また、第二句の「識心（魂）」の在り方は、大陸思想におけるように、ただひたすら「天に帰し」、天に上り去ってしまうのではない。「了時」を超えていよいよ明晰俊敏の度を加えて識心（魂・精神・理性的能力）は必ずしも天界に去ってゆくとは表現していない。この墨書一篇の対句が内包するところの思想は恐らく仏教、道教乃至老荘思想の影響力を受けているものと考えられるが、上述の如き「魂魄」の在り様からみて、明らかにわが国固有の伝統的思想に深く根ざしたものであると考えねばなるまい。

もとより我が国の魂魄観・死後観も時代の変遷とともに内外種々の影響を

受けて変容を重ねたことは言うまでもない。例えば、中世の謡曲本『実盛』（世阿弥元清作）には「魂《コン》は冥途に在りながら、魄《ハク》はこの世に留まりて、なほ執心の閻浮《エンブ》の世に、二百余歳の程は経れども、浮かみもやらで篠原の池の徒波夜となく昼とも分かで」云々とあって、加賀国篠原の戦に敗死した平家の武者斉藤実盛の魂は冥途即ち死後の世界に赴いたが、その魄は肉体の廃滅後もこの世に残り、今なお俗世に執着して、陣没の地たる加賀国篠原に留まったまま、すでに二百余年を経過したけれども、その魄は救い上げられることなく現世の妄執に苦しんでいる、と述べている。

あるいはまた同じく世阿弥作『箙』には「魂《コン》は陽に帰り、魄《ハク》は陰に残る。執心却来の修羅の妄執、去って生田の名にし負へり。―中略―御身尊主人なれば、法味を得んと魄霊《ハクレイ》の、魂《コン》に移りて来りたり。跡弔ひ給へと言はんとすれば、また瞋恚《シンヒ》の敵《カタキ》の責《セメ》、あれ御覧ぜよ御聖《オンヒジリ》」とあって、摂津国生田の戦に討死した源氏の武者梶原景季の魄霊が、仏僧の回向を受けて己れの魄霊の平安を得んものと、自らの魂に移り合して、いわゆる幽霊となって、生田川の辺りを行く旅の仏僧の前にその幻影を現したとする物語が見えている。
即ち平安末期以降中世にわたる武家社会には戦闘あるいは闘争に関わった者は、死後その魂（精神霊）は冥界（黄泉）あるいは陽（天）に赴くことができるが、その魄（身体霊）は肉体の廃滅後も現世（世俗）に留まったまま修羅の妄執から脱することができない。魄がその妄執を脱して死後の平安を得るためには、魄は現世に留まったまま、ひたすら仏法による救いを待つ他はない、とする甚だ暗鬱的かつ忍従的な死後観が存在したことを物語っている。

これに対して、本墨書に見える飛鳥期の死後観においては、人間死後の魂は古代漢土のそれの如く「天に帰す」とも、また中世我が国のそれの如く「冥界・黄泉に赴く」とも「陽（天）に帰る」とも観ていない。ただ「識心（魂）ハ了時（死没ノ時）ヲ陵《コ》エタリ」即ち、死後その魂は生前に勝る英明をもって、その精神活動を続けてやまないものと観ている。その死後観は高潔かつ自律的である。魄についても、古代漢土のそれの如く「地に帰す」とも、また中世我が国のそれの如く、現世に留まったまま世俗の妄執から解き放たれることはないとも観ていない。魄は肉体を脱して墳墓の丘の上に現れ、そこに安らい鎮まるとしている。誠に清明にして平安かつ自足的な在り方と言うべきである。もとより、その墳墓の丘の上を妄執渦巻く現世・俗世と観ているのではない。死者の魄霊の鎮まる墳墓の丘の上は、もとより人里遠からぬ現世の丘の上ながら、死者の魄霊の鎮まることによって、おのずから生ける人にとっても冒瀆すべからざる霊的浄域となるのである。

ところで、死後の魂の行方について『礼記』(10)は「天に帰す」とし、我が国中世の謡曲本『実盛』は「冥途」に赴くとし、『箙』は「陽(天)に帰る」としているが、本墨書は魂の行方について何らの言辞も見せていない。ただ「識心ハ了時ヲ陵ギタマヘリ」とのみ記している。故人の肉体を離脱した没後の識心（魂）は何処に赴くと言うのであろうか。思うに、上代日本人は、魂は本来、身体に繋縛されるものではなく、人の生存中においても、時に身体から遊離し、魂自らその欲するところに赴き彷徨うものと考えていたものと思われる。従って、人の死後その魂（識心）は肉体より遊離して無碍自在の存在となり、鳥の如くあるいは雲の如く風の如く、その欲するがままに永久自在の活動を続けるものと考え、死後の魂の行方について画然たる特定の境域を思い描くことはなかったのであろう。

自然と一体化した人間観が本墨書の魂魄二元観・死後観の根底に横たわっており、古代中国思想を移し入れたものではなく、我が国固有の伝統的な観念であったことは後世の歌集万葉集にも現れている。山上憶良の歌に「鳥翔成(16)あり通ひつつ見らめども人こそ知らね松は知るらむ」（一四五番）という一首が見えるが、これは謀反の企ての故をもって刑死した有馬皇子が、刑死前捕らえられて紀州の訊問地に赴く途中、斉明四年（六五八年）紀州磐代の浜辺に佇んで、その地の松の枝を引き結び、自らの無事帰還を祈って詠んだ「磐代の浜松が枝を引き結び真幸《マサキ》くあらばまたかへりみむ」（一四一番）の歌に、後世、憶良が追和した歌である。この歌意は「有馬皇子の魂は何処からか鳥のごとく絶えず飛び通い来って、その忘れがたい松を眺めているに違いないが、人はそれを知らないけれども松は知っているに違いない」と解されている。作者憶良の心中にあるものは、もとより皇子の非運に対する篤い同情と哀惜であるが、同時に憶良はその心底に、人の死後その魂は肉体を脱して自ら欲するがままに無碍自在に活動するものであるとする死後観を宿していたことを物語っている。

もとより、我が国上代人は死後の魂の行方について画然たる特定の境域を思い描くことはなかったにしても、一般に遥かな天空の彼方、あるいは故山の彼方の雲の上等を魂の行方として漠然と想い描いていたことは、『書紀』その他の古伝承からも察せられる。『書紀』仲哀天皇元年十一月の条には「父王既崩之、乃神霊化㆓白鳥㆒而上㆑天」とあって、仲哀天皇の父王小碓命（日本武尊）の神霊（魂）が白鳥となって天空の彼方に翔け上って行ったとする古伝承を伝えている。ここに言う「化㆓白鳥㆒而上㆑天」の「天」とは、古代漢土における、相合して万物を生成するとする陰陽二気の一たる陽気としての「天」を意味するものではなく、天然自然の無限空間としての天空・虚空を指しているものと思われる。

## 六、結び

本墨書はその基本的構造として、一句六字、上下二句十二文字をもってする直対形式の対句を成している。しかし、六朝風の句法に照らせばその対句としての各用法の対応は均整を欠くものが少なくない。例えば、第一句冒頭の柏（魄）と第二句冒頭の識心（魂）は互いに対偶関係にありながら、その字数は一致していない。また、各句末第六字の呆・者両字は共に上声仄字であって、互いに平仄を異にすべきものとする六朝風の句法には適っていない。即ち、本墨書の作風は、用語の対応の均整と声調の諧和を重んじて、形式美を尊ぶ六朝風美文の句法に従ったものではなく、実質美を尊ぶ古格の作風に拠ったものであろう。もとより、本墨書のかかる非美文的句法は、文章表現の本質的目的から見て、何ら低次の句法ではない。本来、文章は実質的な意味内容と内面的実質美をもって主とすべきものであり、表現上の外面的形式美は従とすべきものであろう。

それにしても本墨書一文の作者は何故に音義共に平明かつ作文上も容易な「魄」と「魂」、または「形魄（体魄）」と「心魂（精魂）」等の互いに字数同一の対応語を用いてする句法を退けて、対句における対応語としては、その用例さえ見い出しがたい字数不同の語を用いた不均斉な対句を遺したのであろうか。思うに本墨書一文中、作者の最も重視した用語は「識心」であり、それは作者にとって、「魂」あるいは「心魂」等の漢語をもってしては、その意味するところを十全に表し得ない概念を意味する語であったのであろう。作者は、この漢訳仏教用語「識心」こそが故人の精神機能の主体・根源としての多麻之比（たましひ）を表す語として最も相応しい用語と考えていたのではあるまいか。この分析し推論し統合し洞察する厳正にして無私かつ精密高度な精神機能の主体としての「識心」の卓越こそ、故人の故人たる所以のものと信じていたと考えられる。故人のこの識心は没後さらにその質を高めかつ深めてやまないものと信ずるが故に、その確信を断然たる表現をもってするために、その文末に断定の助辞「者」を据えたのである。

本墨書一文の作者は、漢語「魂（コン）」の漠然たる語義に満足し得ず、敢えて漢訳仏教用語「識心」の二文字をその第二句冒頭に用いたと思われるが、この語の対偶として択ぶべき第一句冒頭の用語を魄・形魄・体魄等の語の中に求めず、「柏」に求めたのは、識心の語に対応すべき用語としては、鬼系文字とでも言うべき魄・体魄・形魄等の語は相応しからずと考えたためであろうか。あるいはまた、山間、丘陵あるいは墳墓の丘の清明の気の中に安らう故人の身体霊を表現する文字としては、陰々たる地下幽暗の鬼気に繋がる「魄」の文字を用いるよりも、高燥を好んで陰湿の地を嫌う松柏科の常緑樹「柏」の文字を借るを佳しとしたためであろうか。

ところで、この識心の卓越にこそ故人の人格の特性を観取していた本墨書一文の作者にとって、この故人とは誰であろうか。一文が上宮太子没後の冥福を祈って造立された他ならぬ法隆寺金堂釈迦三尊像の重層台座の上壇台座裏に揮毫された点から、故人とは即ち篠長陵に葬られた上宮太子その人であろう。そして、本墨書の作文者が誰であるかは確然としないが、用字、用語、文体等から見て、この台座の製作乃至台座組立あるいは台座の装飾に関わった仏師、絵師、漆師、木工の工人の作ではあり得ない。

また、異国渡来の僧侶、学者、官人はもとより我が国の一般僧侶、学僧あるいは儒学その他外典の学者の作にしてはその用語が文人的であり過ぎる。

また、この一文に見える死後観あるいは心情は先史以来、我が民族の存在基盤を成してきた農耕生活とその舞台としての緑濃き山河・田園・集落その他独自の風土・風物・生活・習俗・社会・歴史が永きに亘って培い育てた無形の文化としての心理・心性であって、これらの風土・風物・歴史等を異にする異国より移し植えられたものとは考えられない。殊更なる賛辞、敬仰の辞を交えていないのは、虚飾的表現の必要を感じない同族、しかも真近の血族の作であるからであろう。揮毫者に関しては、その書体、筆法、特にその書体からみて、筆者と一文の作者とは同一人物であろう。かくも洗練された用語を用い、かくも古様の書体をもって独特の風格を示す繊細流麗の筆を振るうためには、一文の内なる深意、深情を帯する者でなくては叶うまい。察するところそれは上宮太子遺族の一人であり、恐らく上宮家を継承する山背大兄王その人であろう。

以上愚見を提示するに当たって、その内容甚だ自専たるを恐れるものであるが、大方の叱声を拝聴できれば幸い、それに過ぎるものはない。

## 注

（1）法隆寺昭和資財帳編集所編集、『伊珂留我：法隆寺昭和資材帳調査概報』、一二号、小学館、一九九〇年。
（2）高田良信、「釈迦三尊像の台座裏から発見された十二文字の墨書」、『伊珂留我：法隆寺昭和資材帳調査概報』、一二号、小学館、一九九〇年、七～九頁。
（3）福宿孝夫、「法隆寺書跡の字体考―日本最古の木面墨書に関する試論―」、『宮崎大学教育学部紀要・人文科学』、第六八号、一九九〇年。
（4）東野治之、「法隆寺釈迦三尊像台座の墨書」、『書の古代史』、岩波書店、一九九四年。
（5）新川登亀男、「法隆寺金堂釈迦三尊像台座裏の落書」、『道教をめぐる攻防』、大修館書店、一九九九年、一七頁以下。
（6）川端真理子、「法隆寺金堂釈迦三尊像台座内の墨書と銘文」、『古代文化』、第五三巻・第二号、古代学協会、二〇〇一年。
（7）田村圓澄、「法隆寺金堂釈迦三尊像台座内の墨書について」、『古代東アジアの国家と仏教』、吉川弘文館、二〇〇二年。
（8）汪仁壽、原輯編、『金石大字典』、マール社。
（9）諸橋轍次著、『大漢和辞典（縮刷版）』、巻一、大修館書店、一九七六年、八一頁。
（10）「郊特牲　第一一」、『新釈漢文大系第二八巻　礼記　中』、明治書院、四一二～四一三頁。

(11)「続紀巻三〇・神護景雲三年一〇月乙未朔詔」、『新訂増補国史大系　続日本紀後篇』、吉川弘文館、三七一頁。

(12) 鹿持雅澄著、『萬葉集古義』、巻二下、高知県文教協会、一九八二年、二〇頁。

(13) 簡野道明著、『孟子通解』、明治書院、一九四九年、五二六頁。

(14) 小林勝人訳注、『孟子　下』、岩波書店、二〇〇四年、七二頁。

(15) 諸橋轍次著、『大漢和辞典（縮刷版）』、巻一、大修館書店、一九七六年、六三一頁。

(16) 原文「鳥翔成」は定訓無し。ツバサナスの訓は「萬葉集第一巻」（『新編日本古典文学全集六』、小学館、一九九四年）、一〇八頁本文の訓に拠るもので仮訓。

# あとがき

釈迦三尊像完成当時は法制整備、政体の確立、内政・外交特に外交の展開の目的達成のためには、先ず文字、文章の実用化と高度化を達成しなければならなかったはずである。飛鳥当代の使用文字・文章とその水準の程度は「十七条憲法」或は「三経義疏」の記述内容に表れた論理的追求性、倫理的思索性の深さと高さによって的確に知ることができる。

本墨書は法隆寺金堂釈迦三尊像造立当時の文字文化の実態を窺わせるに足る重要な肉筆資料であり、ひいては法隆寺に関わる数多の課題を解明するための基本的資料の一つとして、極めて重要な意義を持つものと考えられる。

本墨書十二文字の品格ある文学的表現により表された上代死後観とその表現内容としての思想的意義を正当に評価する見解の提示者は現れていない

が、この墨書十二文字が表すように推古朝期の上代日本人が漢字、漢文に対するかかる自主的対応力を有していたればこそ、徒らに海彼の文字、文体に拘泥してその模倣に畢ることなく、後に独自の仮名（万葉がな、平がな、片かな）を生み、独自の和風漢文を生み、更には国字をも生むに至ったのである。我が国の漢字・漢文・漢文学の受容と吸収発展の歴史過程における推古朝の水準の高さを、その実質をもって物語るものであり、引いては、学術・芸術・政治思想・教養一般について、いわゆる飛鳥文化の精神的基盤が如何なる程度、水準のものであったかを類推せしめるものである。

本墨書の字句の表面に表れたものは死後の魂・魄の平安かつ高潔な佇まいであるが、その文の底を流れているものは生死を超えた清らかな霊的生命力の息づかいである。本墨書に表れた死後観が、飛鳥当代の人々にとって普遍的な思想形態であったとするならば、当時の人々の間にはたとえ死別を悲しみ悼むことはあっても死後の人の在りようを忌み怖れることは有り得なかったであろう。後世世俗的仏教の普及に伴い、陰鬱な地下黄泉の死後世界を信ぜしめられるに至った日本人の陰鬱な死後観、例えば地獄の観念等から見れば、本墨書一文には仏教的と呼ばれる観念、思想は殆ど皆無に近い。わずかに仏教用語「識心」の語が純粋仏教のもつ哲学的色彩を見せているに過ぎない。しかも仏教用語「識心」の語を用いてはいるが、全文の内蔵する思想内容としては仏教的色彩は極めて希薄である。

本墨書の文意、思想の根底に在るものは恐らく我が民族が古くより抱き伝えてきた人生観・死後観あるいは死生観の源泉・源流・原形に連なるものであって、今もなお、全くは消え去ることなく我が国地方民衆の中にその残影を伝えている。このような観念、心情は、恐らく本墨書に見える飛鳥当代の死後観に連なる民族的な継承心理あるいは潜在的な民族的心情とでも言うべきものであろう。自らの肉体は死後その地中に朽ち果てようともその肉体の霊即ち魄（体魄）は墳墓の丘の上に安らうものと信じ、精神の霊つまり魂（識心）は故山の彼方の雲の上に浮かび、風の中に漂うて故郷の土と人とを永く見守り続けたいというが如き願望は近代以降急速に薄れつつも、なお全くは消え去ることなく、地方民衆の間に今なお郷愁の如く生きづいているように思われる。この様な心性は自然を畏敬し、自然に随順し、自然に信倚し、参入することによってその生存を保持して来た農耕民族としての日本民族の間に自ずから形成された深層願望とでも言うべき心情であろう。

本墨書には華美・過剰も文飾は全く見えない。文辞は簡潔にして壮重厳粛、文意もまた明白である。その言わんとするところは、故人に対する作者胸中の真実、即ち故人の魄霊の永世にわたる安息と英魂の永劫自在の活動を信じて疑わないその確信の想いである。この想いを故人の霊前に捧げようとする表白の一文とも言うべきものであろう。あるいは無韻の墓銘と言うべきものかも知れない。

本墨書作者は、その一文について生ある人を意識することはなかったに違いない。ただひたすら、故人の霊に向かって、この一文を捧げたものと思われる。これを捧げられた故人の霊とは、本墨書を内蔵する台座上に安置されている釈迦三尊像の大光背銘文に見える「当造釈像尺寸王身」の「王身」の主体、即ち本銘文中の上宮法皇（上宮厩戸王）その人を意味するものに違いない。即ち磯長陵に葬られて、その陵面に保らう上宮太子の魄霊であり、また天空の彼方に馳せて自在に活動し続ける太子の精魂であろう。その識心の傑出において、飛鳥当代に並び無い英邁の皇子と目された上宮厩戸王を措いて他に、法隆寺金堂釈迦三尊像の台座裏の本墨書の文言に相応しい人物はいまい。古様の書体を駆使するとともに簡潔、壮重な文体をもってするこの墨書一文には故人に対する殊更なる哀悼の辞も、また故人の人格、功績等を賛美する辞も見られない。ただそこには、故人の魄霊の平安と英魂の不滅の活動を信ずる者の念いが吐露されるのみである。落書きとは考えられない真率且つ高度な文芸性を持つこの一文を人目を避けて半永久的な秘所ともいうべき場所に記し遺した人は、故人直近の血族以外にこれを求めることはできまい。

# 萬葉集未詳歌詞の訓義について

## 一　高市皇子歌

三諸之《みもろの》　神之神須疑《かみのかむすぎ》　巳具耳矢自得見監乍共　不寐夜叙多《いねぬよぞおほき》（1）

（巻二・一五六）

右は十市皇女薨時高市皇子尊御作歌三首と題する挽歌の第一首であるが、傍線部について訓義未詳とされている。右傍線部分は、第三句「巳具耳矢自」、第四句「得見監乍共」に分たるべきものと考えられるが、第三句冒頭の「巳」は、「已・己」とともに、これが墨筆による場合何れの文字と解すべきかその判断に苦しむことが尠なくない字体である。この歌の「巳」は、推定し得られる歌意に照らして「已」とすべきものと考え、「已具耳矢自」

と解し、これを「イグミヲシ」と訓み、「い組み愛《ヲ》し」の義と解したい。「已具耳」の「耳」は、集中「ミミ・ノミ・ニ」と訓まれた例のほか他の用例を見ないが、正訓ミミの頭音「ミ」の略訓仮名として用いられたものと解したい。「自《シ》」は呉音ジ漢音シであるが、その漢音を採ったものと解する。

「い組み愛《ヲ》し」の「い組み」とは、三諸の神山《かむやま》の神杉が互いにその枝葉を抱き合う如くに組み交わして生茂っている状を謂うものであり、「愛《ヲ》し」はその状に対する愛惜の情を表現したものと考えられる。なお「い組み」は動詞「い組む」の連用形「い組み」が名詞形に用いられたものと考えられる。「い」は通常、動詞に冠する接頭語であるが、動詞の名詞形にも冠する例(「八百土よし、い杵築の宮に」〈雄略記歌謡〉)が見え、この「い組み」の「い」もまた接頭語と解せられる。名詞形「い組み」の用例としては、「伊久美陀《いくみだ》気《け》、伊久美波泥受《いくみはねず》」(い組み竹、い組みは寝ず)〈雄略記同〉とある「伊久美」がそれであろう。伊久美と已具耳の「美《ミ》・耳《ミ》」は夫々甲類である。集中に

「言云者《ことにいへば》、三三二田八酢四《みみにたやすし》」（二五八一）と見えており、「耳」が甲類ミの仮名「三」を重ねて「三三《ミミ》」と表記されていることは、その例証と云い得よう。

第四句「得見監乍共」については、およそ次の如き五種の訓義が考えられる。

一、「得二見‐監一乍共」（見監ヲ得ツツモ）と釈く立場から、（一）「見監《ミモ》ラレツツモ」または、（二）「見監《マモ》ラレツツモ」と解する場合。

二、「得見レ監乍共」と釈いて、（三）「得《エ》、監《ミ》ラレツツモ」または、（四）「得《エ》、監《モ》ラレツツモ」と解する場合。

三、「得見監乍共」をそのままに解して、（五）「得《エ》、見監《ミモ》リツツモ」と釈く場合。

即ち（一）見監《ミモ》られつつも（二）見監《マモ》られつつも（三）え監《ミ》られつつも（四）え監《モ》られつつも（五）え見監《ミモ》りつつも。以上五種の訓義が成りたち得ると考えるが、集中の「彦星の川瀬を渡るさ小舟の得行而将泊《えゆきてはてむ》（二〇九一）、「面忘れだにも得《え》為《す》也《や》と手にぎりて」（二五七四）、「恋ふといふは衣《え》毛《も》名《な》豆《づ》気《け》多《た》理《り》」（四〇七八）、また、「波おのづから凪ぎて御船得《え》進《すすみき》」（景行記倭建命東征条）等の用例に従って、二―（四）即ち「得見レ監乍共」と釈いて「得《エ》、監《モ》ラレツツモ」と解する立場に立ち、これを上代語法に当てて「エモラエツツモ」と訓み、「え守《モ》らえつつも」の義と解したい。「得《エ》」はこの語の下に肯定または否定の語を伴って、可能または不可能の意を表わす副詞とされる。「見レ監」の「見」は漢文体に於る受身の助字としての用法で「ラル・ラレ」と訓まれる。「得見監」の「監」は監視の監で「見張る・見守る」の意である。従って「見レ監」を我が国上代の語に置き換えて、「守《モ》らゆ」と訓み、下の「乍共」に接続させるために、その連用形「守《モ》らえ」と訓む。「守らえ」の「え」は受身の助動詞「ゆ」の連用形で、四段動詞「守《モ》る」の未然形に付いたものである。「乍共」の「乍」は継続状態を表わす接続助詞である「つつ」の義訓字、「共」は正訓トモの尾音「モ」の略訓仮名で、逆接の確定条件を表わす接続助詞「も」を表記したものとも解し得られるが、むしろ、この「共」は同じく逆接の確定条件を表わす接続助詞「ども」の意を内蔵しつつ、「ども」と同義の「も」を表記するために用いた義訓字と解したい。

なお第五句「不寐夜叙多」は、字余りを生じないように「ネヌヨゾオホキ」と七音節に訓みとりたいと思う。

以上のような小見に基いて、この歌を次の如く訓み下記の如く解したい。

三《ミ》諸《モロ》之《ノ》　神《カミ》之《ノ》神《カム》須《ス》疑《ギ》　已《イ》具《グ》耳《ミ》矣《ヲ》自《シ》　得《エ》見《モラ》レ監《エ》乍《ツツ》共《モ》　不《ネ》レ寐《ス》夜《ヨ》叙《ゾ》多《オホキ》

三諸の　神の神杉《かむすぎ》いぐみ愛《を》し　え守《も》らえつつも　寐《ね》ぬ夜ぞ多き

〈大意〉三諸の、神の依り憑き坐《いま》す神々しい杉木立が、互いにその枝葉を組み交わし抱き合うように生い茂っているその姿が愛惜《いとお》しく思われる。その愛惜しい神杉に依り坐す三諸の神に常に守られているのだけれども、亡き人のことが偲ばれて安らかには睡れぬ夜が多いことである。

なお、「いぐみ愛し」の語には、十市皇女と睦まじかった往時を偲ぶ高市皇子の生まなましい愛情の想いが籠められていると解せられる。従って「已具耳矣自」はイグシヲシ即ち五十《い》串《ぐし》愛《を》し（斎串《いぐし》愛し）と解し得ないわけではないが、高市皇子の皇女への愛情の情の痛切さを想うとき、「い組み愛し」の語に勝る語を見出すことができない。恐らく皇子は寝ぬ夜の幾夜かを経たのち、三諸の神山の杉木立が相い抱き合うが如くに繁り立つ姿を見て、触発されるとこがあってこの歌を成したと想像される。また、この歌の背景には、神はその依り坐す神木の神聖を、人間が侵害することなく斎き守り尊び親しむ限りにおいて、人間界の安泰を守り悪霊を退けてくれるとする、上代人の神観念が息づいているように思われる。

## 二　高田女王歌

事清《こときよく》　甚毛《いたも》莫言《ないひそ》　一日太爾《ひとひだに》　君伊之哭者《きみいしなくは》　痛寸取物(2)

(巻四・五三七)

右の歌は、高田女王贈㆓今城王㆒歌六首と題する歌の冒頭に掲げられた一首であるが、傍線部の第五句については訓義が定まっていない。この第五句「痛寸取物」については、「取」を「敢」の誤りとし或は「痛寸取」を「偲不敢」の誤りとする説があるが、諸本いづれも「痛寸取物」とあって、誤字を云うべき文証は存しない。従って、「痛寸取物」の痛寸は「痛《いた》伎《き》瘡《きず》尓《に》波《は》」(八九七)「痛《いたき》情《こころ》者《は》」(四七二)等の例に従って、「イタキ」と訓み「痛き」の義と解したい。「痛き」は「痛し」の連体形で悲痛或は酸刻等極めて痛切な状を形容する語である。連体形「痛き」は当然体言に接続するので、「取物」は名詞と考えなければなるまい。第五句に字余り等がないとするならば、推定される歌意が導く限定範囲内に於て擬し得る語は、「採物《トリモノ》」の他に求めることができない。従って「取物」を「トリモノ」と訓み、「採物」の義と解したい。

「採物《トリモノ》」とは神楽に於て舞人がその手に採り持って舞う所謂採物即ち榊・篠《ささ》・杖・幣《みてぐら》・杓《ひさご》・弓・剣等を謂うものであるが、何れも神が降臨し依り憑くものと信ぜられた依代《よりしろ》であり御杖代であって、謂わば神座《かみくら》とも言うべきものである。舞人はこの「採物」をその手に採り持って神の降臨を仰ぎ、その採物に降臨した神と共に舞い遊ぶのである。従って採物は舞人の手に採り持たれ神がこれに依り憑くとき始めて採物であり、舞人の手を離れた採物はもはや採物ではなく、単なる木竹の枝葉であり弓・剣・鉾等の武具に過ぎない。

この歌の「痛寸取物《イタキトリモノ》」に即して云えば、舞人の手に在る採物は舞人の舞踏と共に躍動するが、その手を離れて放置された採物は、空しくそこに横たわって死物の如く躍動性を失ってしまう。謂わば舞人あっての採物であり、採物自体は空しく哀れな静物に過ぎず、惨《むご》い存在である。そのように私もまた君あっての私であり、君の手に採られて始めて生甲斐を感ずることができる。君の側を離れ君の愛情を失うならば、哀れな採物の如く惨い存在でしかないと訴えかけているものと解される。

さて、上代奈良朝期の神楽が如何なる内容と様式を備えていたかは詳らかではないが、神楽が行われていたことは云うまでもあるまい。宮神楽の「採物」の歌の中に「志呂加祢乃《しろかねの》　女奴支乃多千遠《めぬきのたちを》　佐介波支天《さげはきて》　奈良乃美也古遠《ならのみやこを》　祢留波多賀古曽《ねるはたがこぞ》　祢留波太加古曽《ねるはたがこぞ》」[3]と云う「採物」の太刀（剣）を歌った神楽歌が見え、銀作りの太刀を佩りて颯爽と奈良の都路を練り歩く若者を誉め囃し、白がね作りの太刀を美しく映し出している。奈良朝期に源をもつ神楽歌と見るべきであろう。

以上の小見に基いて、「痛寸取物」を「イタキトリモノ」と訓み、「痛き採物」の義と解したい。なお第四句は「君伊之哭者《キミイシナクバ》」と訓み、「君いし無くば」と解する。「い」は主格表示の格助詞、「し」は強意の間投助詞と解せられる。

歌の大意は、「何の躊躇《ためらい》もなく無情なことを惨酷に言わないで下さい。僅か一日でさえも、君が側に居なかったなら、恰も舞人の手を離れて放置されたあの惨い採物のように、その空しさのために胸が刻まれるように思われるほどである」と言うように読みとれる。

## 三　比等母祢能

比等母禰能《ひともねの》　宇良夫禮遠留爾《うらぶれをるに》　多都多夜麻《たつたやま》　美麻知可豆加婆《みまちかづかば》　和周良志奈牟迦《わすらしなむか》（4）

（巻五・八七七）

右の歌は題詞によれば「書殿餞酒日倭歌四首」の中の一首である。天平二年冬、大納言に叙任せられて太宰の府館を去らんとする帥大伴旅人を送る惜別餞酒の席上、その下官が長官旅人に贈った惜別の歌であろう。書殿餞酒とは太宰の府館公設の文庫或は長官の館の書斎で催された送別の宴であろう。傍線部についてその義が定まっていないとされている。

「比等母祢能《ひともねの》」は、「人も聲《ね》の」の義であろうと思われ、第二句との関連に於て見るならば、「比等母《ひとも》、祢能宇良夫礼遠留尓《ねのうらぶれをるに》（人も、声《ね》のうらぶれ居るに）の意と解される。

この歌は「比等母祢能《ねの》　宇良夫礼《うらぶれ》遠留尓」と言う形で、「祢能宇良夫礼《ねのうらぶれ》」（声《ね》のうらぶれ）の語が第一句五音節と第二句七音節の夫々に分断されて含みこまれているために、古来人の眼を晦ませ、語義は不詳ながら、「比等母《ひとも》祢《ね》」と言う四音節の上代語が存在し、それに格助詞「能《の》」が付いて、五音節より成る第一句が成り立っているものとの錯覚を抱かせたまま、今日に至ったものではないかとさえ考えられる。然し集中にはこの種の例が皆無ではない。「宇奈波良尓《うなはらに》　霞多奈妣伎《かすみたなびき》　多鶴我祢乃《たづがねの》　可奈之伎与比波《かなしきよひは》　久尓幣之於毛保由《くにへしおもほゆ》」（四三九九）の如く、「祢乃可奈之伎《ねのかなしき》」（声《ね》の悲しき）が五音節と七音節句に分断されて含みこまれている。然しこの歌は、多鶴我《たづが》とあるために、その声《ね》をそれと読みとることに障壁は存しないが、「比等母祢能」の歌においては、比等母《ひとも》の語から直ちに「祢《ね》」を「音《ね》・声《ね》」のそれと読みとることには障壁がないとは言えないかも知れない。「比等母祢能」の「母《も》」が、その障壁となっているのであろうか。「も」は、もとより助詞であって、この歌に於ては「去り行く貴方は勿論のこと、残る人もまた」の意を表わしており、詠嘆の情が含まれているものと解せられる。

以上のような解釈に従って「比等母祢能《ひともねの》」を「人も声《ね》の」の義と解したいと思う。

「去り行く貴方はもとより、残る人々もまた、その声さえ侘びしく打ち沈んでいるというのに、貴方は、その乗馬が都に間近い龍田山に近づいたならば、家郷に入る悦びのために、この惜別の悲哀を忘れてしまわれるのであろうか」と言うような歌意が読みとれる。

## 四　麻具波思麻度尓

可美都気努《かみつけの》　麻具波思麻度爾　安佐日佐指《あさひさし》　麻伎良波之母奈《まぎらはしもな》
安利都追見禮婆《ありつつみれば》(5)

(巻十四・三四〇七)

巻第十四の東歌の中、上野国相聞往来歌の中に右の歌が見えるが、傍線部第二句について未詳とされている。この第二句「麻具波思麻度尓」を「マグハシマトニ」と訓み、「真妙し真砥に《マグハ　マト》」の義と解したいと考える。「真妙し」の「真《マ》」は真正・純粋の意であり、「妙し《クハ》」は精美である状《さま》を意味する。「真《マ》砥《ト》」は現代の中砥の砥石に当たる「砥《ト》」に、真正または純粋の意を持つ接頭語「真《マ》」を冠したものであろう。「尓《ニ》」は場所を表示する格助詞と解したい。

右の「麻度」は、和名抄巻十五に「砥　兼名苑云砥音旨一名䃴音名篠和末度細礪石也」と見えるこの砥即ち和名「末度」がそれであろう。和名抄に言う「末度」が現代の中砥に当たることは、同抄同巻に「磺（中略）阿良度」とあって、砥（末度《マト》）と磺（阿良度《アラト》）とを区別していることによって明らかであろう。荒砥は砂岩質の砥石であるが中砥（砥《ト》・末度《マト》）は粘板岩または石英粗面岩質の砥石で、殊に石英粗面岩質の砥石はその砥面が精美である。

砥石は縄文遺跡からも出土する研磨用具であり、これが上代に用いられたことは言うまでもない。集中にはこの歌の「麻度《マト》」の他には現われないが、砥の文字を甲類トの訓仮名として「和須良牟砥《わすらむと》」（忘らむと）（四三四四）の如く用いた例が見えている。もとより中砥そのものを表記したものではないが、砥（音シ・テイ）即ち中砥を当時「ト」と称していたことの証左と言えよう。播磨国風土記神前郡川辺里の条に、「所｜三以云二砥《と》川山一者、彼山出レ砥、故《かれ》日二砥川山一」（砥は砥の略字体）と見え、また同郡蔭山里の条に「徐《はらふ》レ道刃鈍《やいば》、仍勅云《のりしたまひしく》、磨布理許《とほりこ》、故《かれ》云二磨布理《とほり》村一」とあって、砥《ト》（砥）を産出する山の存在が認識されていること及び、刃が鈍ったとき磨《ト》（砥）を掘り来させたことが知られる。集中にも「剣刀《つるぎたち》、磨之心乎《とぎしこころを》」（三三二六）とあって、刀剣を磨いていたことを窺わせている。また垂仁紀十五年の条に垂仁天皇第三妃「真砥野媛《マトノヒメ》」の名が見え、真砥の産地または真砥の精美さに因む名ではあるまいかと推測される。然し垂仁記には「円野比売《マトノヒメ》」とあって、その名の由来を異にするかの如き印象を与えている。然しまた開化記には「真砥野比売命」と見えて、書紀の真砥野媛と相い応じている。従ってこの媛の名が本来何に由来するかは俄に決することはできないが、「真砥」なる文字が奈良朝期の筆録にあたって、「マト」と訓まれ且つ、この歌の「麻度」とその音韻を等しくしていることに注目したい。砥・度それぞれ甲類トの表記仮名である。

さて上野国の砥の産地としては、近代以降沼田付近が沼田砥と称される中砥の名産地として名高い。沼田砥は淡緑白色の石英粗面岩質で、現在の合成砥石が普及するまでは全国各地に販路を拡げていた。この淡緑白色の原石が露出して断崖状を成して連なっているとすれば、そこに朝の陽光が指すとき、その景観はまことに麗しいものであろう。この歌の「麻度《マト》」が沼田砥を指すか否かは元より不明であるが、上野国の幾箇所かに当時既に名高かった中砥の産地が存したものと考えられる。『群馬県の歴史』に拠れば、「砥石は甘楽郡砥沢村（南牧村）がその名のとおりの産地である。砥山の発見はかなり古いらしいが近世初頭以来、地元の土豪市川家が採掘権を与えられて経営にあたった。幕府はこれを御用砥として全国の統制権を認め（中略）最盛期には年産二万駄[6]」即ち一二〇万梃の砥石を生産し全国市場を支配していた近世の隆盛ぶりを記している。上代に於いても上野国の砥が名高かったであろうことは、この歌の歌い出しに「上つ毛の真妙《マグハ》し真砥《マト》に」と国名を冠している誇らかさからも窺い得られよう。

延喜式（主税上）に見える「中男一人輸作物」の中に、絹・紙・紅花・鹿脯・火乾年魚等の輸作物に交じって「砥二顆長一尺三寸。横六寸五分。厚二寸七分。」と見えて、中男（一七〜二〇歳男子）一人当たりの年間貢輸物の品目の中に「砥」が含まれている。律令体制衰退期の延喜式に見えるこれら中男輸作物は、動揺が見られたとは云えなおその体制が健在であった奈良朝期に於いては、当然規定されていた輸作品目であったと考えられる。従って砥を産出する地域の中男の中には、自己の貢輸物に郷土の砥を選んで、その切出しと調整に立ち働く者が尠くなかったと考えられる。上野国の産地に於いても砥の切出しと調整に立ち働く中男は勿論、これを助ける男女家族、或は民需に応えてこれを切出す一般男女の姿が、砥山の諸処に見られ、そこに相聞の歌が交わされる等男女の交歓もまた存したであろう。そしてまた、民謡の発生を促す土壌をも形成したであろう。

この歌の「真度《マト》」が沼田砥と同質の淡緑白色の砥石であるならば、その砥山の岩層断面が朝の陽光を受けて燿映する美しく眩しい眺めは、恋人の眼差しを眩しく見つめる若者の羞じらいの想いにも似て、長くは見つめて居られないきらきらしい景観であったろう。この麗しい「麻度」の姿が上野国の相聞歌の中に現れてくるのも、故なしとは言えまい。

以上のような管見に基いて、「麻具波思麻度尓」を「マグハシマトニ」と訓み、「真妙《マグハ》し真砥《マト》に」の義と解したい。なお第四句「麻伎良波之母奈」は「マキラハシモナ」と清音に訓み、「目煌《マキラ》はしもな」の義と解したい。「目煌《マキラ》はし」は、「目に刺激的にきらきらと眩しく映る状《さま》」を形容する語と考えられる。「も」は詠嘆の終助詞、「な」も感動を表わす終助詞と解される。「煌《キラ》はし」は、「煌《キラ》めく」「煌《キラ》やか」「きらきらし」「きらら」(雲母)等の語源と想定される「煌《キ》る」(目を刺激するようにきらきらする意の動詞と推定する)の未然形「煌《キ》ら」に継続の助動詞としての「ふ」が付いた「煌《キ》らふ」と云う動詞の未然形「煌《キ》らは」に、「し」が付いて形容詞化したものではないかと推測される。動詞の未然形に「し」が付いて形容詞となったと考えられる語の例としては、「輝く」の未然形「輝か」に「し」が付いて「輝かし」、或は「懸《カ》らふ」（からみついている意）の未然形「懸からは」に「し」がついて「懸からはし」、「扱《アツカ》ふ」↓「扱《アツカ》は」↓「扱《アツカ》はし」等を挙げ得るのではないかと考えられる。

「目《マ》きらはしもな」の「きらはし」を、霧《キ》らふと云う動詞の未然形に「し」が付いて形容詞化した「霧《キ》らはし」と解するならば、きらきらしく眩しい意が消滅する。従って「きらふ」は、「霧《キ》らふ」の意に於る「きらふ」と、「煌《キ》らふ」の意に於る「きらふ」とが想定される。この第四句は、想定される後者の意に於て解したいと思う。

# 五　阿尓久夜斯豆之

巻十四の上野国相聞往来歌には、また次の歌が見えるが傍線部について諸説がある。

多胡能禰爾《たごのねに》　與西都奈波倍氏《よせつなはへて》　與須禮騰毛《よすれども》　阿爾久夜斯豆之
曽能《その》可把與吉爾《よきに》（7）

（巻十四・三四一一）

第四句「阿尓久夜斯豆之」は「アニクヤシツシ」と訓み、「豈、悔し楒《ツシ》」の義と解したい。「豆之」は大言海に「つし（名）楒［相思ノ合字］。樹の名。大木ニシテ材質堅ク理文アリ。器ヲ作ルニ宜シ。其実珊瑚ノ如クニテ年ヲ経ルモ変ゼズト。タウアヅキ。『字鏡四十五、楒、豆之』『天治字鏡十二、楒、豆志』」また大漢和辞典に「楒シ（中略）たうあづき。相思樹。荳科。蔓生灌木。（中略）［本草　相思子］集解、時珍曰、相思子、生㆓嶺南㆒、樹高丈余、白色、花以㆓皁莢㆒似㆓偏豆㆒、子大如㆓小豆㆒、半截紅、半截黒、彼人以為㆓首飾㆒」と見える「たうあづき」と何らかの関係を有する樹木と考えられる。右両辞典に言う「たうあづき」は中国嶺南の樹で、熱帯或は亜熱帯の樹種であり我が国に見られる豆科の類似種そのものとは異る。上代我が国に於て「豆之」と称ばれたと推定し得る樹は、現在稀にしか見ないとされる「ユクノキ」（ミヤマフジキ）と称される豆科フジキ属の樹のことであるまいかと考えられる。或はその近似種「ヤマエンジュ」を指す可能性もあろう。原色樹木大図鑑によれば、「ユクノキ」は樹皮が灰白色、花は枝先に総状花序を頂生し、白色の蝶形花をやや密に開くとある。またその材は建築・器具・土木・薪炭等に用い、灰白色の樹皮は縄の素材として利用するとある（8）。

中国嶺南の椶《ツシ》の種子は半紅半黒で珊瑚の如くであり、首飾に用いたと前記辞典にあるが、我が国の類似種「ユクノキ」等豆科樹木の種子が緒に貫かれて上代人の首を飾ったか否かは詳らかではない。「ユクノキ」の樹皮が灰白色で蝶形の白い花を総状に密に開くその樹姿は、山中叢林の中で目立つものであり、その樹姿は麗人・佳人を仮託するに足るものであったろうか。この歌が想う相手の容姿をこの樹に仮託して詠まれたものであろうとする小見を支えるに足る樹姿なりや否やは、この樹を実見しない筆者にとって不安の残るところである。

ところで、「ユクノキ」または「ヤマエンジュ」或はその他の豆科樹木が、上代に「豆之《ツシ》」と称ばれたか否かについての確証はないが、「豆之」なる語を以って呼ばれた樹木が存在したであろうことは、大言海が中国嶺南の椶（相思樹）を説明するに当たって、『字鏡』並びに『天治字鏡』に見えるとする「豆之」「豆志」なる和名を引いていることから窺い得られるように思われる。我が国上代に中国嶺南の椵に擬えるべき類似種としての豆之が存在しなかったならば、『字鏡』ならびに『天治字鏡』も中国の椵を「豆之」「豆志」の和名を以って説明することはできなかったものと考えられる。大言海もまた、椵を翻訳和名「たうあづき」の語を以って説明するにとどまったものと考えられる。もっとも、既に『字鏡』等の「豆之」「豆志」が翻訳和名であったとするならば論外である。然し和名抄巻九の淡路国津名郡の郷名の中に、「都志⿰之豆」なる郷名が見える。この地名が何に由来するかは未だ詳らかにする機会を得ていないが、或は「豆之」なる樹に由縁をもつこともあり得ようと考えられる。

右の如く「豆之《ツシ》」を樹木名と考えるのは、この歌の第五句「曽能可把与吉尓」を「その皮良きに」と解し、「その顔良きに」と解さないからである。「可把」の「把」を「抱」の誤りとする説があるが、諸本の中に明快に「抱」と見えるものは存しない。元・矢特に大矢本が「抱」の如くになっておるが、

「把・波・杷」等諸本の「ハ」表記を却けて「抱」と改めるに足るほどには明快な字形とは言いがたく、且つ推定し得られる譬喩歌としての歌詞の在り方からみても妥当性が薄いように思われる。想う相手の容姿を山の樹または多胡嶺の何らかの美しい自然物に譬えたものと思われる歌の表面に、その相手の顔の美しさが露出してしまっては、譬喩歌の骨法を崩すことになろう。

さて「豆之」を樹皮灰白色且つ藤の花房を想わせる総状の白花をつける豆科日本種の榿《ツシ》と解することができるとするならば、「阿尓久夜斯豆之」（豈、悔し榿）は「何と考えても、どうも悔しくてならない榿《ツシ》である、ああ無念である」と言うような意であろう。辞書によれば、「豈」は、「何も」「決して」或は「どうして」「なんで」等の意を表わすとされ、打消の語を伴う場合と反語を伴う場合とに分けてその意味を説明しているが、この「豈、くやし」の如く形容詞を伴う場合等の説明はない。およそ、「豈」と云う副詞は、その用例を通覧してみるに、全て熟慮的結論或は心情的結論を述べる語を下に伴って、その結論を詠嘆または感動・感歎等の情念をこめて表現する場合に用いられているように思われる。その内意は「何と考えてみても、どうも」と云うような含みを持った語であろうと考えられる。「阿《あ》珥《に》豫《よ》区《く》望《も》阿《あ》羅《ら》儒《ず》」〈仁徳紀歌謡〉は、「決して良くない」と言うよりは「何と考えてみても、どうも良くない」と云うように、熟慮の過程或は心情形成の過程を経た結論を感情をこめて表現しているように思われる。「豈《あに》藻《も》不《あら》レ在《ぬ》自身《おのがみ》之《の》柄《から》」（三七九九）の「豈も在らぬ」は、「何と考えてみても、どうも存在価値のない」と云う程の意であろう。「豈も」の「も」は、「豈」に対して更なる詠嘆を添える間投助詞であろう。

以上のような観点から「阿尓久夜斯豆之」を「アニクヤシツシ」と訓み「豈、悔し槵《ツシ》」の義と解したい。また、「曽能可把与吉尓」は「ソノカハヨキニ」即ち「その皮良きに」の義に解したいと思う。なお、この歌には「寄すれども」とあるのみで、寄っては来なかったことの字句表現がないが、「豈、くやし」の語によって、寄って来なかったことを詠嘆をこめて充分に表現し得ていると解される。

## 六　幸㆓于紀温泉㆒之時額田王作歌

莫囂圓隣之大相七兄爪謁氣　吾瀬子《わがせこ》之《が》　射立爲兼　五可新何本《いつかしがもと》（9）

（巻一・九）

右の歌は古来諸説があって未詳とされているが、第三第五両句については、ほゞ定まった訓義を得ていると思われるので、先学に従いたい。従って右傍線部分について小見を述べたいと思う。冒頭の傍線部分は第一句「莫囂圓隣之」、第二句「大相七兄爪謁気」に分けたるべきものと考えるが、第二句の「謁」は類聚古集その他古・冷・神の諸本に「湯」と見え、また元暦校本も「湯」と見える文字の偏を朱を以って「言」に改めてはいるが、もと「湯」とあったことが表れていること、及び推定し得られる歌意の上からも「湯」であるべきであると考えられることに基づいて、第二句の原文を「大相七兄爪湯気」と考えたい。第一句「莫囂円隣之」の「莫囂」は、莫大の語が「(コレヨリ)大ナルハ莫《ナ》シ」の意に解されて、極めて大なることを意味する語として用いられる如く、「莫囂」は「(コレヨリ)囂(閑《シヅカ》)ナルハ莫《ナ》シ」の意に解し、極めて閑《シヅ》かな状態を意味するものと考えたい。

「莫囂」の囂は、買、嚻、囂等その字体に変遷はあるが、その原義は「聲」、通常「かまし、かしまし」等喧騒の意であるが、同時に「閑か・空しい」等全く逆の意をも持っている。大漢和辞典は『爾雅』を引いて「囂、閑也」と記している。恰も荒廃地を意味する文字「墟」が逆に殷賑な市(市場)を意味する語として俗に用いられたのに通ずる。市は人が集まれば殷賑喧騒であるが、人が散ずれば「墟」の如くなるために、市を俗に墟と称したとされる。「囂は多数の奠器に囲まれた中で、巫覡が祈りの声を挙げている状を形どった字形とも言われる如く、その囂々たる祝祷の声が息めば忽ち森閑たる状態に変ずる。そこに意を見て囂を「閑」の意に用いるのであろう。「莫囂」の字義を右の如く解し、極めて閑かな寂しい状態を表わす義訓字として用いられたものと考え、「莫囂」を「シヅ」と訓み「鎮《シヅ》」の義と解したい。

「円」は集中「円方之湊《マトカタノミナト》」「高円山《タカマトヤマ》」等円《マト》と訓む例の他は見えないが、円をマトと訓むのはその正訓であろうから、その頭音マの略訓仮名として「円」を用いることは、例えば正訓「苑《ソノ》」の頭音ソの略訓仮名として、「死《シ》者木苑《ナバコソ》　相不《アヒミ》ㇾ見在目《ズアラメ》」（三七九二）の如く用いた例に照らして有り得たことと考える。

「隣」は字音リンの尾音を省略した略音仮名の用例「八十一隣之宮《ククリノミヤ》」（三

二四二）に従って、「リ」と訓み、「之」は字音シ、これを字音のままに「シ」と訓む。

以上のような私見に基いて、第一句「莫囂円隣之」を「シヅマリシ」と訓み、「鎮まりし」の義と解したい。ここに言う「鎮まる」は、静穏・静寂・鎮静・安定・座定等の状態を意味するのではなく、心が打ち沈み打ち萎れた状態或は気力勢力等の衰退した状態を意味する場合の「鎮まる」の意に解したい。

第二句「大相七兄爪湯気」の「大相」については、その字義上次の四義が考えられる。

（一）人相・容貌を意味する「相」に、美称尊称の「大」が付いた場合の「大相」。

（二）官職名としての「大相」。大漢和辞典は『新書輔佐』を引いて「大相上承二大義一、而啓二治道一」と記している。

（三）金星、特に宵の明星を意味する「大相」。大漢和辞典は『史記天官書』を引いて「其庫近レ日日ニ太白一、柔、高遠レ日日ニ大相一、剛」記している。

（四）「大」「相」それぞれの原義に基づく意義、即ち「大いに明らかに視る」「視るものの根源」「視る行為の至極」を意味する場合の「大相」。即ち「眼」または「顔」を意味すると考えられる場合の「大相」。

以上四義のうち、第（四）の場合の「大相」の義に解したい。この歌の「大相」は、推測される歌意からみて、作者自身またはその従者の「顔」を指すと考えられるので、第一の場合は美称尊称としての「大」が歌意に合わない。第二の輔佐官の大相（天子輔佐の大官）は元より歌意に添わない。第三の大相（宵の明星）は第四の大相の原義即ち「大いに明らかに視る」「視る行為の至極なるもの」等の意に基づいて、宵の明星の別名とされたものと考えられる。従って第三の大相の背景にある原義は第四のそれに等しいものと云えよう。さて「大相」を「顔」を意味するものと考えるが、この歌の歌詞の音調及び歌意から推して、「顔」に代えて「面《オモ》」を採りたい。従って「大相」を「オモ」（面）と訓む。

「七」は集中の諸例に従って「ナ」と訓むが、その義は「莫《ナ》」と解する。「兄」は「我兄《ワガセ》」（二九三六）「妹与兄《イモトセ》」（一〇〇七）の例に従って「セ」と訓み、動詞スの未然形と解し、「兄」の上字「七」、下字「爪」とともに「七兄爪《ナセソ》」（莫為《ナセ》そ）と云う願望乃至懇願的禁止句を構成していると見たい。なお、「兄」についてはこれを「見」とする説があるが、「兄」を「旯」とも書くこと(10)から生じた墨書体上の判断の相違であろう。「見」とする説は採らない。「爪」は集中「ツメ・ツマ」と訓む正訓用例以外を見ないが、字音の頭音を採って略音仮名とする例が尠くないのみならず、「藻」を「ソ」の略音仮名に用いた例「名告藻《ナノリソ》」（九四六）「莫告藻《ナノリソ》」（一一六七）等、本来の字音に対してやや不忠実な用例も少例ながら見える。「爪」は字音「側絞切」（集韻）とされるので、厳密にはこれを「ソ」の略音仮名に用いることは字音に不忠実であるが、右の例の如き少例の一例として「ソ」の略音仮名に用いたものと解する。

「湯気」は「ユケ」と訓み、命令形の「行け」の義と解したい。従って、第二句「大相七兄爪湯気」を「オモナセソユケ」と訓み、「面莫《オモナ》せそ行け」の義と解したいと考える。「な〜そ」と言う禁止語に続いて「行け」等の命令語が来る語法乃至文形の例を集中に見出すことはできないように思うが、この「面なせそ」は「そんな顔つきをするな」と言う強い禁止を意味するものではなく、「そんな顔つきをしないで」と言う極めて願望的な或は懇願的な希望を表わしたものと解される。従って、「面なせそ行け」は、「面なせそ」（禁止）と「行け」（命令）が断続的に表現された形と見るよりは、「面せずて行け」或は後世の「面せで行け」の如く、禁止と命令が融合したとでも云うべき条件付命令と解すべき表現ではあるまいか。「そんな顔つきをしないで行け」の意と解したい。

さて然し、「湯気」を「ユケ」（行け）と訓むことは、「気」が乙類ケであるために、命令形「行け」として訓み得たことにはならず、已然形「行け」に訓みなしたことになると言うのが定説の立場である。ここに定説と言うのは、「四段動詞命令形の語尾は甲類、同じく已然形の語尾は乙類である」とする上代音韻に関する定説を指す。東歌の場合を除いて、この定説に例外はないとするなら、右の「湯気」（行け）は明らかに已然形も表記である。「湯気」が已然形であるならば、この「湯気」の直下には「ば・ど・ども」等の接続助詞が伴われているか、或は「湯気」の上部の語の中に係助詞「こそ」含まれていなければならない。然るにその語に該当する文字は見出せない。さりとて、「湯気」の語尾「気」が誤字である可能性は全く存しないとは云えないが、諸本何れも一致して「気」の文字を等しくしており、誤字とするに足る何らかの文証も存しない。むしろ、誤字の可能性は皆無とみるべきではなかろうか。

「気」の文字にも、また「大相七兄爪湯」の文字にも誤りがなく、然もこれを「面《オモ》なせそ行け」と命令形に訓みとることが若し妥当であるとするならば、この「面莫為《ナセ》そ行け」即ち「な～そ＋四段動詞命令形」という特殊な形に於ては、四段動詞命令形の語尾は甲類であるとする定説に従わない音韻傾向・法則性があって、その語尾は乙類であるとしなければなるまい。然しながら、「な～そ＋四段動詞命令形」という形が特殊であるためか、集中にその用例を見出し得ない。従って他の用例と対比することによって、この特殊形における命令形語尾の音韻傾向・法則性を明らかにするという方法を通して結論づけることはできない。従って次のような推測にとどめ結論は留保するほかない。

即ち、「な～そ＋四段動詞命令形」と言う形に於ては、発声者の「な～そ」

に対する強調意識が発音上にも表われ、その強調された「な〜そ」の発音の影響を受けて、「な〜そ」に直接続く四段動詞の命令形の発音が抑制され、その後尾の音韻が中舌音化して所謂乙類音になるという必然的な傾向が、上代中央語の発音つまり口腔内の音形成の過程に意識的かつ物理的に内在したのではないかと推測される。四段動詞已然形の語尾が乙類音であったことも、「こそ」或は「ど・ば・ども」等の強調発音の影響を受けて、これに接する已然形動詞の発音が意識的且つ物理的に抑制され、その語尾音が中舌音化することによるものではなかったかと推測される。

なお、「な〜そ＋四段動詞命令形」そのものではないが、これにやや似た形は見える。

佐穂山乎《さほやまを》　於凡尓見之鹿跡《おほにみしかど》　今見者《いまみれば》　山夏香思母《やまなつかしも》　風吹莫勤《かぜふくなゆめ》　（一三三三）

雀公鳥《ほととぎす》　夜鳴乎為管《よなきをしつつ》　和我世児乎《わがせこを》　安宿勿令レ寐《やすいなねしめ》　由米情在《ゆめこころあれ》　（四一七九）

右の一三三三番歌は吹くなと云う禁止語に続いて、副詞としてではあるが本来は動詞命令形であったと思われる勤《ゆ》めが接している。また、四一七九番歌も、勿寐《なね》しめ（勿寐《なね》しめそと同義）という禁止に続いて、由米《ゆめ》（勤《ゆ》め・斎《ゆ》め）更に情《こころ》あれと云う命令形が接し、「面なせそ行け」と文形の上で原型的一致を窺わせるものがあるように思われる。

第三句「吾瀬子之」については先学の訓義に従い、大海人皇子を指すものと考える。

第四句「射立為兼」は「イタタセルガネ」と訓み、「い立たせるがね」の義と解する。その意は「お立ちになって居られるに違いないから」であろう。「い」は接頭語、「立たせる」は「立つ」の未然形「立た」に敬意を表わす「す」の已然形「せ」が付き、更に完了の助動詞「り」の連体形「る」が接続したものであり、これに理由・根拠・願望・目的等を表わす助詞「がね」が結び付いたものであろう。この「兼」をガネと濁音に訓んだ例は集中に見えないが、「金」をガネと訓む数例が見える。その例に従って「兼」をガネと訓み右の如く助詞「がね」と解する。第五句は先学の訓義「厳樫《いつかし》が本《もと》」に従いたい。

以上のような小見に基いて、この歌を次の如く訓み、下記の如く解したいと思う。

［釈文］

莫囂円隣之《シヅマリシ》　大相七兄爪湯気《オモナセソユケ》　吾瀬子之《ワガセコガ》　射立為兼《イタタセルガネ》　五可新何本《イツカシガモト》

しづまりし　面《おも》なせそ行け　吾が背子が　い立たせるがね　厳樫《いつかし》が本《もと》

［訳文］

（大意）「打ち萎れた顔つきなどしないで行け、吾が想うあの方が、行く手の神々しいあの樫の樹のもとに、きっとお立ちになって居られるに違いないのだから」

この歌は題詞及び斉明紀によれば、斉明四（六五八）年十月十五日、斉明天皇の紀温《きのゆ》泉行幸に陪従したと想われる額田王が、翌年一月三日飛鳥帰還までの途次、恐らくはその往路に於て詠んだものと考えられる。斉明紀によれば、行幸に先だつ同年五月、女帝は鍾愛の皇孫建王《たける》を幼冲わづか八歳をもって喪い、その傷心のなお癒えぬままの発駕であった。この年九月、有馬皇子が紀の牟婁温泉《むろのゆ》より還り、その地を観るだけで病が癒えたと讃めたことに触発されての発駕であったと言われる。皇孫愛惜の情に堪えない女帝の駕に従う者の表情にも沈痛の色があったものと想像される。「しづまりし面なせそ行け」の歌い出しは、かかる背景のもとに自らの従者の小群に喚びかけたものであろうか。或はまた、額田王をめぐる所謂嬬争《つま》いが、この頃既に表面化していたとするならば、大海人皇子を思慕する額田王の内面に、中大兄皇子の介入を疎ましく思う憂欝が濃く影を引いていたのではあるまいか。その憂欝のままに従駕の列に加わったとするならば、その憂欝に沈みがちな面の色を消して明るく歩まむものと自らを叱咜して、「しづまりし面莫為そ」と歌い起したものであるかも知れない。行く手の橿の巨木のもとに休らう大海人皇子への思慕の情とともに、憂欝の影も表れているようにも読みとり得られる。或はまた、紀の湯滞在中の十一月十一日、有馬皇子が謀反の罪を得て紀の藤白の坂に絞首された悲劇に伴う滞在地の暗欝な気配が、この歌の「しづまりし面」の歌詞に影を落としているのであろうか。

ともあれ、サ行音の卓越するこの歌の音調には一種荘重の趣がある。額田王、時に十九歳の頃の作かと推定されるが、歌調はその年輪を超えて遙かなものがある。

## 注

（1）本文は『萬葉集大成本文篇』に拠る。本文に添えた訓は同書下段の訳文に拠る。
（2）注（1）に同じ。
（3）日本古典文学全集『神楽歌・催馬歌・梁塵秘抄・閑吟集』（小学館）四三頁。
（4）注（1）に同じ。
（5）注（1）に同じ。
（6）山田武麿著『群馬県の歴史』引用。
（7）注（1）に同じ。
（8）『原色樹木大図鑑』（北隆館）に拠る。
（9）本文は『萬葉集大成訓話篇上』九一頁に拠った。訓点は注（1）に同じ。
（10）正倉院文書「他田日奉部神護解」（『演習古文書選古代中世篇』〈日本歴史学会編〉所収）にも兄の墨書が見える。

## 追記

巻第一の九番歌の第一句「莫囂円隣之」の訓義については、『萬葉集注釈巻第一』（澤瀉久孝）〈中央公論社〉の一一二頁に、『第一句の原文「莫囂円隣之」は「莫囂」を囂《かまびす》しきことなしの意で、「静の義のシヅと訓みたし」とし、シヅマリシと土橋利彦（筆名塩谷賛）氏（『海青篇』所収）の訓まれたるに従う。円はマドのマをとり、―「常」（トコ）をトと訓む（二）やうに、―隣はりと訓む例（十三・三二四二）がある』とあって、既に土橋利彦氏が「シヅマリシ」と訓み「静まりし」の義とされ、澤瀉久孝氏もこの説に従う立場を明らかにされていたことが知られる。追記して土橋利彦氏の卓見に敬意を表したいと思う。但し、莫囂を「囂《かまびす》しきこと莫《な》し」の意で「静《シヅ》」の義とする土橋利彦氏の解釈と、「（これより）囂《シヅ》かなるは莫《な》し」の意で「鎮《シヅ》」の義とする拙稿の解釈とは異なる。

# 萬葉集巻第十六掉尾の歌の解釈

## ―「葉非左思」の訓義を中心として―

# はしがき

人魂乃《ひとだまの》　佐青有公之《さをなるきみが》　但獨《ただひとり》　相有之雨夜乃《あへりしあまよの》　葉非左思《し》所念《おもほゆ》

（三八八九）

右は萬葉集巻第十六の巻末に採録されている「怕物歌三首」と題する歌の第三首を、塙書房刊萬葉集本文篇（以下『塙本』と称す）に拠って、その傍訓とともに掲げたものである。

巻十六には、怕物歌三首の他にも他巻と趣を異にする歌が編み込まれているが、殊にこの三首は、異界に関わる怪異を歌にしたものとして、集中他に類例を見ない異風の歌詠である。怪異に関わるこの種の歌は、一般に埒も無い戯れ歌と見做されるであろうが、人間のもつ感性と情念の自然に照らせば、かかる歌柄のものもまた上代人の詩腸の豊かな重層性を物語るものであって、文芸上軽んずべきものではない。

ところで、怕物歌三首は、従来、集中異風の歌として注目されてはきたが、従来の訓釈のままでは、単に異風の歌というに留まり、その歌の怕ろしさあるいは妖しさは、いささか浅く、怕物歌としての底深いものは何ら伝わってこない。日夏耿之介「萬葉の美学」(『万葉集大成二〇・美論篇』)を参照してもらいたい。

本稿は、これら怕物歌三首のうち、先づその第三首、三八八九番歌の原形を探り、その原形本文に基づいて、あるべき訓法を求め、この歌のもつ底深い異風の趣を探ろうとするものである。

以下その考察を進めるに当たって、先づ、従来、訓義未詳とされてきた「葉非左」を含む第五句「葉非左思《し》所念《おもほゆ》」の「葉非左思」(傍線は筆者による。以下同)の訓法に関わる問題から筆を起こしたい。

## 一

この歌の第五句「葉非左思《し》所念《おもほゆ》」の傍線部は、従来、訓義未詳とされているが、この葉非左を含めて、第四・第五句については古来種々の訓法が説かれてきた。即ち、第四句「相有之雨夜乃」の「乃」は、古葉略類聚鈔あるいは類聚古集には見えるものの、西本願寺本その他仙覚本系諸本には見えないところから、この「乃」を衍字として削り、第五句「葉非左思所念」の葉を第四句末尾に付け、第四・第五句を「相有之雨夜葉　非左思所念」と改め、これをアヘリシアマヨハ　ヒサシトゾオモフ〈旧訓〉と訓んだり、あるいは、脱字説を執って第五句の「思」の下に久または九等の脱字有りとして、「相有之雨夜葉　非左思久《（九）》所念」（アヘリシアマヨハヒサシクオモホユ）〈『代精』〉と訓む等の説が行われていた。

しかし、武田氏『全註釈』が第五句の「非左思」の「非」は乙類ヒであって、「久し」のヒの音韻（甲類）と合わないことを指摘して、「非左思」を「久し」と訓むことを斥けて以来、旧訓あるいは『代精』の訓は行われなくなった。

さらに『全註釈』は、従来、衍字として削られていた第四句末尾の「乃」を古葉略類聚鈔等に基づいて復元し、第四・第五句を「相有之雨夜乃《アヘリシアマヨノ》　葉非《ハヒ》左思所念《サシオモホユ》」（逢へりし雨夜の葉非左《はひさ》し念ほゆ）と訓んだが、葉非左《はひさ》については語義不明とした。しかし、『全註釈』は葉非左《はひさ》についてなお考察を加え、『霊異記』（下）の第廿三話の訓釈欄に見える「塚皮比夜」の訓に基づいて、『塚をハヒヤとしてゐるのは灰屋の義なるべく、ハヒサの語もあったのでは無からうか。または左が屋の誤であるかも知れない。類聚古集の本文「葉非戸曽所念」も参考となる。』と述べている。

窪田氏『評釈』も『全註釈』の右の新説に肯定的で、

「全註釈」は、「日本霊異記」の訓釈に「塚」をハヒヤと訓んでゐて、灰屋の義であろう。同義で、葉比左といふ語が存在してゐたのではないか。或は「左」は「屋」の誤写で、ハヒヤであるかも知れぬと云ってゐる。それだと、「し」は強意の助詞で、塚が思われるの意で、通じ易い、又自然なものになる。

と述べている。また、伊藤氏『釈注』も『全註釈』の所論に関連して、「葉非左」は、文脈上、焼場・墓場を想起させるに充分なるべく、この解釈は魅力に富む。けれども「葉」は借訓仮名、「非」「左」は音仮名という不統一であり、「灰」のヒの甲乙も知られない（非は乙類）。加えて『霊異記』のハヒヤは「這ひ入る屋」で横穴の意とみるべき語らしい（古典大系『日本霊異記』）。「葉非左」は結局のところ訓義未詳とするほかはない。ただ『全註釈』の唱えるところとは別個に、「灰屋」という語の存在する可能性はあると思う。

と述べるとともに、この歌の語釈欄において「葉非左」について、さらに次の如く語釈を加えている。

○葉非左　もと「葉非屋」とあったもので灰屋《はひや》（焼場）の意と考えるが、ここでは慎重を期して訓義未詳と見ておく。

右の如く『釈注』は慎重を期して断定を控えてはいるが、「葉非左」を「葉非屋」（灰屋＝焼場の意）と解する立場に強く傾いているように思われる。

しかし、上代はもとより、中古平安時代以降にも、焼場（荼毘所）を意味する語としての灰屋（葉非屋）なる語は見いだし難い。

もとより、灰屋の語は中世には現われている。しかし中世の灰屋は、蓼藍《たであい》の葉から紺色染料を製する過程で、藍の発酵を促すために用いる紺灰と称する木灰の取引を業とする商人を意味する語であって、焼場あるいは墓場を意味する語ではない。この灰屋の活動は中世のみならず近世にも引継がれ、中世以来の灰屋系豪商佐野氏の江戸初期の当主、灰屋紹益(1)（本名佐野重孝）

は文人・芸道の達者としても世に知られた存在であった。
ところで、灰を肥料として用いることも古くより行われていたものと思われるが、この肥料としての草木灰・藁灰等を貯蔵する小屋を、近世農村で灰屋・灰小屋等と称んだことは、農村部の古老の間では現在も広く知られている。

また、仏教伝来に伴う火葬の風が上代既に行われていたことは、萬葉集・続日本紀等にその明証を残しており、当時、火葬が行われたことに疑いを入れる余地はない。従って、遺体を焚焼して所謂荼毘に付する場所としての荼毘所が存在したこともまた疑い得ないところである。しかし、それが一般に何と称ばれていたか詳らかではない。中古平安時代には、荼毘所（焼場）を「火屋《ひや》」と称んでいる事例が見えるので、あるいは、上代既にその名が用いられていたかとも考えられるが、拠るべき確証はない。

さて、その「火屋」は、例えば『和泉式部集』に、

ものへいく道にかはらやに日やといふものを見て帰りてその夜月のうちくもりたるを見て

あはれこの月社くもれ晝見つる火屋の煙はいまやたつらむ

と見えている。前書き冒頭の「ものへいく道に」とは、「或る所へ行く道すぢに」の意、「かはらや」は「瓦屋」で、本来は延喜木工式の車載の式条に「凡自二小野栗栖野両瓦屋一至二宮中一車一両賃卌文[2]」と見える瓦屋の意と考えられる。この式条に見える瓦屋は律令政府の官営瓦窯（官営製瓦工房）であって、宮内省木工寮の管理下に在って公用の瓦の製造に当たったものである。この官営瓦窯(瓦屋)については、同じく延喜木工式の作瓦の式条に「工卌人。夫八十人。作二瓦窯十烟一。烟別工四人。夫八人[3]。」と見えているように、瓦製造技術者四人、人夫八人、都合十二人をもって一瓦窯（瓦屋一烟）を形成し、瓦工四十人、人夫八十人、総計百二十人をもって十烟を形成して小野・栗栖野等京師郊外に展開していたものと考えられる。

しかし、律令制の衰退に伴って諸種の官営工房が縮小または解体して行く過程で、官営瓦工房(瓦屋・瓦窯)もまた同様の運命をたどり、所属の瓦工も次第に官司の統制を離れて自立の途を歩み、やがて彼等は、従来の瓦窯あるいは移住して他郷に構えた瓦窯の隣接地に、火葬用の窯をも築き、地域の人々の個々の求めに応じて火葬の用に供するに至ったものと考えられる。かかる火葬窯即ち火屋を併設した瓦屋は、京師郊外山科南部に多かったものと考えられる。右の歌の作者和泉式部も、当時、山科方面の寺社・田園の間を往きながら、はからずも瓦屋に行き掛かり、其処で火屋(火葬窯)なるものの実体を見る機会を得たのであろう。

右の歌の前書に見える「かはらやに日やというものを見て」とは、「瓦屋に立ち寄って其処に構築されている火屋というものを初めて見て」の意である。それを見て複雑な思いを抱きつつ帰ったその夜、はからずも俄かに月の打ち曇るのを見て「あはれこの月こそくもれ云々」の歌を詠んだのである。

歌の第四句「火屋の煙」は即ち焼場の煙であり荼毘の煙である。歌の前書に見える日やは当て字であるが、歌の本文に見える火屋と同義の語であって、火葬窯・焼窯の意であり、焼場・火葬場・荼毘所・焼亡所に異ならない。現代の火葬場も所詮その実体は屍体を焚焼するための窯即ち火屋に他ならない。ただその窯を容れる建造物が窯あるいはその他の焚焼装置の生々しい実体を隠しているに過ぎない。

火屋については、『類聚雑例』所載の先斎院（長元八年六月廿日長逝）の火葬記事の中に次の如く見えている。「葬所作法。外垣引二調布一。鳥居懸二手作一。内垣鳥居引‐二懸生絹一。又火屋上履二同絹一(4)。（以下略）」

また『類聚雑例』には、後一条天皇（長元九年四月十七日崩）の大葬の次第が詳細に記録されているが、その中に、前記「火屋」に相当すると考えられる天子大葬の荼毘所としての「貴所屋」の構造について、極めて精細な記述が見えている(注)。左にその割注の一部を省略して所要部分を抜き出して掲げる。

「山作所（割注略）四面立二切懸一為二荒垣一。南面立二鳥居一。（中略）門外西腋立二四間平屋一宇一為二葬場殿一。（割注略）内垣中央作二貴所屋一。広一丈五尺。長二丈。高一丈二尺。子午為レ妻。以二帛絹幔一覆二屋上一。以二同絹帽額一引二四面一。以二手作綱一付二四角一張レ之。屋中構レ鑪。鑪底敷レ筵。筵上敷二手作一。手作上敷レ絹。其上積レ薪。鑪四面引レ帛。帽額四方敷。其下引二手作帽額一（5）。（下略）」

この「貴所屋」が前記和泉式部集に見える「火屋」、あるいは先斎院火葬記事に見える「火屋」に当たるものである。もとより貴所屋は天子の大葬に当たって臨時特別に設営されるものであって、火屋の如く民間においても存在したものではない。

貴所屋の構造・規模等は右文の割注の記述の通りであるが、これを坪数に換算すれば凡そ八坪の切妻平屋造となる。この八坪の屋宇の床は板敷、その中央に鑪（爐）が設けられている。この鑪の底には筵を敷き展べ、筵の上に手作りの麻布を敷き、さらにその上に絹を敷いてその上に薪を積むという作法であったことが知られる。この割注によって察するに、ここに言う「鑪《ゐろり》」は、いわゆる囲炉裏型の方形の火床であったように思われる。先きに見た火屋が瓦窯の構造に模した極めて熱効率の良好な窯であったと考えられるのに対して、天子大葬に用いられたこの鑪とその用法は、熱効率の低い囲炉裏型の火床(火牀)に薪を堆く積みあげて、これに火を點じて茶毘に付するという極めて原初的ではあるが、しかし、その故に却って厳粛にして神さびたとも言うべき古式の作法に基づいたものであったことが察せられる。

この貴所屋と称ばれた平安朝天子の火葬所の実体は、「鑪《ゐろり》」という燃焼装置である。これは火屋の実体が「窯《かま》」という燃焼装置であったことと異なるものではない。

なお、貴所屋は単に貴所とも称ばれ、その屋内に設けられた「鑪」は、別名「竈所《かまどどころ》」とも称ばれている。即ち、前掲の『類聚雑例』に見える後一条天皇大葬の次第の中に、次の如く記されている。

以二行障等一立‐二廻貴所屋四面一。此間関白并内府。藤大納言。権大納言。新大納言臨二竃所一被二行事一。及二辰剋一奉レ挙二荼毘一。事畢先破‐二却貴所板敷壁等一(6)。

以上によって、中古平安期における庶民・貴族等の火葬に用いられた火葬所(焼場)あるいは火葬設備を「火屋」と称し、天子大葬に用いられた官設臨時の火葬所を「貴所屋」または「貴所」と称し、その屋内に設けられた鑪(爐)を「竃所《かまどどころ》」とも称したことを知ることができる。

ところで、天子大葬に当たって、火葬のために竃が構築されたことは、既に奈良朝以前の藤原京時代に見えている。大宝三年(七〇三)、持統女帝の大葬に関連して、続日本紀の同年十月九日の条に、

冬十月丁卯。任二太上天皇御葬司一。以二二品穂積親王一為二御装長官一。(中略)四品志紀親王為二造御竃長官一。従四位上息長王。正五位上高橋朝臣笠間。正五位下土師宿祢馬手為レ副。政人四人。史四人。

とあって、志紀親王を長官とする都合十二人からなる四等官制の臨時官司「造御竈司」が設置され、竈即ち火葬所（竈場）造営の指揮監督に当たったことが窺われる。

持統女帝の火葬に次いで、慶雲四年（七〇七）、文武帝、養老五年（七二一）、元明女帝、天平二十年（七四八）、元正女帝と、藤原朝から奈良朝中期にかけて四代相承けて、天子の火葬が執り行われたが、続日本紀に見えるその記事は甚だ簡潔で、用いられた竈の構造その他葬法の詳細は知り得ない。しかし、持統女帝に続いて、文武・元明両帝ともに竈を設けて荼毘に付されたことは『続紀』の記事に明らかである。即ち、次いで文武天皇の火葬に関しても、『続紀』慶雲四年（七〇七）十月三日の条に、「冬十月丁卯。以㆓二品新田部親王。従四位上阿倍朝臣宿奈麻呂。従四位下佐伯宿祢太麻呂。従五位下紀朝臣男人㆒為㆓造御竈司㆒。」とあって、竈造営のための臨時官司「造御竈司」が設置任命されている。

元明女帝の火葬については、『続紀』に、「丁亥。太上天皇召‐㆓入右大臣従二位長屋王。参議従三位藤原朝臣房前一。詔曰。（中略）朕崩之後。宜下於二大和国添上郡蔵宝山雍良岑一。造レ竈火葬上。莫レ改二他所一。」と見えている。右は女帝の崩前養老五年十月の遺詔である。帝は同年十二月七日、平城宮中に崩じ、翌八日には大葬関係官司の設置任命が行われたことが窺われるが、「造御竈司」等の官司名の記述は見えない。しかし、『続紀』十二月八日当日の記事「庚辰〔八日〕。従二位長屋王。従三位藤原朝臣武智麻呂等。行二御装束事一。従三位大伴宿祢旅人供二営陵事一。」から見て、大伴旅人が営陵の事即ち陵墓造営の事に含めて「竈」造営の事をも兼務する官司の長に就任したものと考えられる。

元明・元正両女帝の火葬については、『続紀』の記事に「御竈司」あるいは「造御竈司」等の任命記事は見えない。しかしながら、竈が築かれ、火葬が行われたことは『続紀』の記事（養老五年十月十三日の条・天平二十年四月廿八日条）によって明らかである。

なお、史籍に見える吾が国最初の火葬としては僧道照の例があるが、その火葬に関する詳細な記事は見えない。『続記』文武天皇四年三月十四日の条に「三月己未。道照和尚物化。（中略）時年七十有二。弟子等奉㆓遺教㆒。火㆓葬於粟原㆒。天下火葬従㆑此而始也。」とあって、火葬の場が粟原に求められたこと以外、葬法の詳細は伝えられていない。

以上、藤原朝以降奈良朝に至る間の天子の火葬全四例及び僧侶一例を見てきたが、その荼毘所（焼場）を称ぶ奈良時代及びそれ以前の通称は見えない。

他方、平安期における「火屋」の呼称とその実体は、後世永く持続して残ったものと思われ、近世の浮世草子にも、

　往にし元禄四年春の比《ころ》より瘡疹《はしか》といふものはやりて人多く悩みしが、その果てさま〴〵の病となりて大分死に失せり。とりわき七月《ふみつき》にはおびたゝしく死にけるにや、道頓堀の墓には千弐百人灰になしけるとぞ。（中略）さて道頓堀に着きけるが、火屋の内はさら也、外《そと》の焼場も大分

の死人にて所狭きを、漸々傍にて荼毘しつゝ灰寄せは明六《あけ》つと定めて帰りぬ(7)。

と見えている。従って、この「火屋」の名称は、少なくとも平安期以降江戸期に亘って通行し来たったものと言い得よう。

かくの如く「火屋」の語義と語訓ヒヤが、安定して久しく保守されて動かない語歴を保っていたことから見て、この「火屋」なる呼称の発生時期は、あるいは平安期を遠く遡って、火葬習俗の発生期たる上代に求めることができるかも知れない。しかし、その時期を上代とするに足る確証はない。

一方、『類聚雑例』に見える後一条天皇大葬に際して設営された「竈所」あるいは「貴所屋」「貴所」等の名称のうち、特に竈所《かまどどころ》の名称は、ひとり後一条天皇大葬時の名称というにとどまらず、既に早く上代に始まっていた名称である可能性も皆無とは言えない。

すなわち、既述の如く、持統女帝の大葬に際して臨時の火葬関係官司として「御竈司」が設置任命されたこと、次いで文武帝大葬に当たっても、ほぼ同名称の臨時官司「造御竈司」が任命されていること、さらに元明女帝大葬に当たっても、『続記』には御竈司等の任命記事は見えないが、女帝の遺詔として、「朕崩ズルノ後宜シク大和ノ国添上ノ郡蔵宝山雍良《よら》ノ岑《みね》ニ於テ竈ヲ造リテ火葬スベシ」の記事が見えること等、累代の大葬に際して、「竈」の構築が特に強く意識され、且つ正史の上に公式臨時官司名として、「造御竈司」「御竈司」等の用語をもって四等官制に準ずる官司の設置任命が明記されていることは、「竈所《かまどどころ》」の名称が、天子大葬の荼毘所の名称として、既に上代より官人の間に用いられていた可能性を推定せしむるに足るものと言い得るのではあるまいか。

しかし、これは国家公事の天子大葬における荼毘所の名称に関わるもので、私事一般の火葬における火葬場の名称と直接関わるものではない。

## 二

さて、不充分ながら以上の考察に基づいて言えば、三八八九番歌の葉非左を「葉非屋」（灰屋）の誤写と見做し、これを焼場の意とする仮説は成り立ち難いように思われる。

『全註釈』の葉非左に関する新説提示以来、この歌の第五句「葉非左思所念」の葉非左思は、葉非左を一個独立の名詞と考え、思《シ》を強意の間投助詞として把えるようになり、爾来これが一種の先入見となり思込みとなって、第五句のあるべき訓義の解明を阻む結果になったように思われる。

この種の先入見に阻まれて正当な訓義を得ていない事例は、集中、一、二に止まらないであろう。例えば八七七番歌

比等母祢能《ヒトモネノ》　宇良夫礼遠留尓　多都多夜麻　美麻知可豆加婆　和周良志

奈牟迦

人もねの　うらぶれ居るに　龍田山　み馬近づかば　忘らしなむか

の第一句「比等母祢能」（人もねの）については、これを未詳としながらも、古来の説に従って、人もねのは、人みなの（人皆の）の誤であろうと推定する説がある。

しかし、この歌は、第一・第二句を連ねて両三度高らかに口誦してみれば、上代における慣習的な言語表現の事例からみて、「人も、音《ネ》のうらぶれ居るに」であることに気付かざるを得ない。上代の慣習的表現として、例えば集中には、「音のみ鳴きつつ」〈四八一〉・「音にも泣きつつ」〈一八〇二〉・「音の悲しき」〈四三九九〉等の語句が見える。

これらのうち、例えば、四三九九番歌の第三・第四句は、この「人もねの云々」の歌の第一・第二句と、その表現が左の如く著しい共通性を示している。

多頭我祢乃《たづがネノ》　可奈之伎与比波《カナシキよひは》〈四三九九〉

比等母祢能《ひともネノ》　宇良夫礼遠留尓《ウラブレをるに》〈八七七〉

八七七番歌の「人も音のうらぶれ居るに」とは、人々も、もの言うその声さえ侘びしく打ち萎れて居るのに、の意であろうが、その音《ネ》のうらぶれという語が、歌の第一句と第二句の両句に分離して、音のが第一句に入って「人も音の」（比等母祢能）となり、第二句「うらぶれ居るに」のうらぶれ（宇良夫礼）との語句の配置関係が一種の句割れの如き配置になっているために、第一句の訓釈を困難ならしめたものと思われる。

集中には、「比等未奈能《ヒトミナノ》」〈八六二〉「人皆者《ヒトミナハ》」〈一二四〉等の事例が見えるので、この歌の文脈からして、比等母祢能《ヒトモネノ》はヒトミナノの転訛あるいは誤写ではあるまいかとの考えに至るのは寧ろ自然の成り行きかとも思われる。『古義』も「比等母祢能ハ本居氏、母祢ハ弥那を上下に誤、また弥を祢に、那を母に誤れるなるべしといへり(8)」と述べるとともに、その記述の上部余白に朱をもって、「さも有べし、人皆之《ヒトミナノ》なり(9)」と記している。『古義』

は本居宣長の説を引いて、「比等母祢能」は「人皆の」(比等弥那能)の誤りであるとして、大人の見解を受容することによって、この歌の文脈上陥り易い「人皆の」説とでも名づけるべき先入見に捉えられて、その訓法を改める機会を逸したものと考えられる。

三八八九番歌の「葉非左思」について、日本古典文学大系『萬葉集』は、その頭注に「非は振の草体からの誤、左は乎↓戸↓左という経過をとった誤と思われる。思は曽の誤ではないか」と述べて、「葉非左思所念」を葉振乎《ハフリヲ》曽所念《ソオモフ》(葬りをそ思ふ)の誤りではあるまいかとしているが、これも「葉非左」を葉非屋《ハヒヤ》(灰屋)の誤りではあるまいかとする説と同様に、一種の先入見によるもではあるまいか。これらの所論は何れも歌の冒頭に「人魂」の語があり、しかも、その人魂と雨の夜に出会ったというからには、其処は墓場か焼場であったに違いあるまい。あるいは葬礼の最中の怪事であったであろうか、と言うが如き通俗怪談風の推論に基づく思込みに拠るものであろうと考えられる。

要するに、これらの所説に従って、「葉非左思所念」を「葉非屋思所念」あるいは「葉振乎曽所念」の誤りとして、その本文を改めなければならない根拠は見出されない。

この歌の第五句六文字は、『類聚古集』にのみ「葉非戸曽所念」と見える他は、『尼崎本』・『広瀬本』をも含めて仙覚本系・非仙覚本系を問わず、諸本悉く「葉非左思所念」となっている。

もとより、諸本中ただ一本と雖も、その本文をもって原文とすべき場合の有り得ることは論を俟たない。しかし、それは原文とするに足る充分な根拠を有する場合に限られる。然るに、右の「葉非戸曽所念」、あるいは仮説ではあるが、「葉振乎曽所念」または「葉非屋思所念」等は、これは原文とするに足る充分な根拠を有するものとは考えられない。

しかも、「葉非左思《ハヒサシ》」が、この歌の内面的構造から見て、「葉非左思」以外の語をもってしては成り立たない用語関係において用いられた語であると考えざるを得ない点からしても、類聚古集ただ一本を除いて数有る諸本の悉くが一致して載せる「葉非左思所念」の六文字を誤写ありとして改めることはできない。

従って第五句は、類聚古集の「葉非戸曽所念」の「戸曽」を誤写として斥け、自余の諸本が一致して掲げる「葉非左思所念」を原文とし、歌の全文は、

人魂乃《ヒトダマノ》　佐青有公之《サヲナルキミガ》　但獨《タダヒトリ》　相有之雨夜乃《アヘリシアマヨノ》　葉非左思所念《ハヒサシオモホユ》

として確定されるべきものではないかと考えられる。

この歌の第五句「葉非左思所念」の「葉非左思」は、従来、「葉非左《ハヒサ》〈名詞〉＋思《シ》〈強意助詞〉」と考えられてきたが、この歌の内面的構造から見て、「葉《ハ》非左《ヒサ》＋思《シ》」ではなく「葉非左思《ハヒサシ》」という一個独立の複合名詞と考えられ、この歌の内面構造上、最も重要な役割を担う用語と考えられる。

即ち、この語は、「人魂」が立ち現われた場所または時、例えば墓地・火

葬場あるいは葬礼執行中等の時所を意味する語ではなく、「人魂」が立ち現われるに至った原因あるいは誘因を意味する語と思われる。即ち、この「葉非左思」は、第一・第二句「人魂のさ青なる公」が立ち現われるに至ったその誘因となったものを意味する語と思われる。

それは恰も、漢の武帝がその寵姫李夫人の没後なお追慕して止まず、方士李少君をして作らしめた霊香「反魂香」を焚いて夫人の霊を誘い寄せ、その幻と相逢うたと言う故事に見えるその反魂香にも似た役割を果たすものが、この葉非左思《ハヒサシ》であろう。

武帝と李夫人の霊の事は、晩唐の白居易の詩「李夫人」に次の如く見えている。(左掲はその一部)

九華帳深夜悄悄　反魂香降夫人魂
夫人之魂在㆓何許㆒　香煙引到焚香處
既来何苦不㆓須臾㆒　縹渺悠揚還滅去(10)

悄々として更けてゆく宮廷の夜、帝前に焚かれた反魂香の香煙は、立ち昇って天上異域の霊界に至り、そこに住まる李夫人の霊を誘うて宮闕に降り、更に九華の几帳の中に導き来たって、帝前の香爐の許に髣髴としてその幻の姿を立たしめたのである。しかし夫人の魂は来たること速やかならざるに、その来たって帝前に留《とど》まること須臾、縹渺として徐ろに消え去ってゆくのである。

三三八九番歌の「さ青なる公」（人魂）も恐らくは作者往年の想思の人、多分背の君たりし人であって、若くして病に倒れたのであろうか、没後もなお追慕忘れ難い人であったものと思われる。その忘れ難い故人の霊が、計らずも葉非左思《ハヒサシ》に誘われて「さ青なる」人魂となって、陰々たる夜雨の中に、ただ独り悄然として立ち現われ、作者と相い遭うのである。故人の霊をして其処に立ち現われしめたものは何か。それは武帝における反魂香の香煙の霊力の如く、葉非左思の霊力であったと考えられる。

この「葉非左思《ハヒサシ》」とは「灰指し」の義であって、それは染色に当たって、染液のみでは染め上げることのできない色の発色を促すとともに、その色の定着をはかるために、媒染剤として灰汁《あく》を注し合わせることをいうものである。つまり灰指し（灰注し・灰差し）とは、現代言うところの灰汁《あく》媒染である。

この「灰指し」は上代既に盛んに行われていたもので、集中にも

紫者《むらさきは》　灰指物曽《はひさすものそ》　海石榴市之《つばきちの》　八十街尓《やそのちまたに》　相児哉誰《あへるこやたれ》

〈三一〇一〉（『塙本』）

という歌が見えている。冒頭の「紫は灰指すものぞ」という歌い出しの句は、上代人にとって染色作業が極めて一般的な家内作業、所謂家事の一端であり、「紫染めは必ず灰を指すものである。椿の灰汁を加えて媒染しなければ紫の色は決して染めあがらないものである」ということを、当時の人が広く承知していたことを物語っている。

当時、庶民の間においても、家事としての染色作業が広く行われていたことは、次の歌によっても充分窺うことができよう。

君がため浮沼《うきぬ》の池の菱摘むと我が染めし袖濡れにけるかも〈一二四九〉

色深く夫なが衣は染めましをみ坂給《たば》らばまさやかに見む〈四四二四〉

あらたまの年行き更《かへ》り（中略）我妹子が形見がてらと紅《くれなゐ》の八入《やしほ》に染めておこせたる衣の裾も通りて濡れぬ〈四一五六〉

上代における媒染技術としての「灰指し」の具体的内容は、必ずしも明らかではないにしても、後世のものながら延喜式を通して推定することができる。即ち、媒染剤としては、種々の植物の灰の灰汁あるいは木酢が用いられたが、染め出す色によって、その用いるべき灰の樹種等を異にした。特にその色相の発色と定着が困難とされた紫染め（紫根染）には、椿または楸《ひさぎ》、特に椿の灰の灰汁が最良とされた。

紫草《むらさき》の根から採った染液と、椿の枝葉を焼いて作った灰の灰汁に、糸あるいは生地を幾度となく漬けては乾し、乾しては漬けるという作業を重ねることによって、ある段階に至って美しい紫の色相を発色するという。その優美な色調に出会う悦びは、正しく「灰合ふ」悦びであり、恰も比い稀な麗人にめぐり遭う悦びにも似て得がたいものであったようである。

しかし、長時間に亘る入念な「灰指し」の作業にも拘らず、目指す色相を染め出すことができない場合もまた屡々であったと見え、時代は降るが中古の歌に次の如く見える。

などてかくはひあひがたき紫を心に深く思ひそめけむ

右は源氏物語〈真木柱〉に見える周知の歌であるが、佳人玉鬘に思いを寄せる帝の、もどかしくも遂げ難い思いを詠んだ歌として掲げられている。「はひあひがたき紫」（灰合ひがたき紫）とは、その色を染め出すための灰の指し合わせ方、即ち灰指しが殊のほかむづかしく、その色を染め出すことの至難な紫、つまり「容易にはめぐり会えない世に稀な麗人」あるいは「た易くは思いを遂げることのできない高貴美貌の佳人」を寓意するものである。

　ところで、前掲三一〇一番歌の「紫《むらさき》者《は》　灰指物曽《はひさすものぞ》」の灰指は動詞「灰指《はひさ》す」として用いられているが、三八八九番歌第五句「葉非左思所念」の葉非左思（灰指し）は名詞として用いられている。

　三一〇一番歌「紫は灰指すものぞ云々」の歌の大意は自ら明らかなところであるが、なお敢えて上代人の心奥を忖度して、この歌の底に在るものを探ってみることは、三八八九番歌の内面にあるものを感得するために無意味ではあるまい。即ち、この歌の内面には、およそ次の如き若者の思いが横たわっていると考えられる。

　　紫はまことに染め上げ難い色ではあるが、椿の灰汁を指し合わせることによって、その色を染め上げることができるものだ。その紫の色の如く容易にはめぐり遭えない佳人でさえも、紫の色を誘い出す霊力を持つ椿灰の名に通う椿の市に往けば、必ずやめぐり遭えるに違いない、そう信じてこの椿の市の道股《ちまた》に憧れ出て来たのだが、果たせるかな、その佳人に、今このようにめぐり遭うことができたのだ。その悦びは斯くばかりぞ。乙女よ、御身の名を明かし給え。その名を明かして吾が思いを遂げさせた給え。

右のような思いを抱いて呼びかける上代の若者の心意の古層には、品佳き紫の色は、「椿の灰の灰汁」が媒介して染め出されるように、品佳き美貌の乙女は、「椿の市」が媒介してめぐり遭わせてくれるに違いない、いわば椿の灰の霊力によって色調美しい紫が誘い出されて発色し定着するように、その椿の市の霊力が佳人を誘い寄せてめぐり会わせてくれるのだと言う精霊信仰の観念がなお息づいておるように思われる。

この「灰指し」の語は、平安期の歌にも動詞形として見えている。

サホ姫ノホノカニ染ムル桜ニハ灰サシソムル藤ソウレシキ

右は日本古典文学大系『宇津保物語』に見える歌であるが、宇津保物語研究会編『宇津保物語』本文篇には、

さほひめのほのかにそむる桜にはよひさしそむる《はひカ》ふぢぞうれしき

とあって、「よひさし」となっている。しかし、「よひ」の「右傍」に「はひカ」と言う書入れがある。ところが、『古語大辞典』所収のこの歌は、

佐保姫のほのかに染むる桜には灰さし添ふる藤ぞうれしき

となっている。「灰サシソムル」「よひ《はひカ》さしそむる」「灰さし添ふる」の何れをもって原文とすべきか、微妙な差異があって俄かには定め難い。然し何れにもせよ、この歌は、中古平安期の人もなお、桜の花のあえかな薄紅色、あるいは藤の花の薄紫色等の発色の背後には、佐保姫に象徴されるような何らかの神秘的な霊力の営みがあるとする上代人の精霊信仰の観念を、微かながらもなお持ち伝えていたことを窺わせている。かかる観念は、上代においては更に色濃いものがあったものと思われる。

灰のもつ霊力に関わる精霊信仰乃至呪術宗教観念は、「灰指し」の技法が行われる遥か以前、恐らく悠遠の上古より見られたものと思われる。然し記録の上では、古事記（中巻・仲哀天皇の条）に見える左の記事が最初のものと思われる。

今寔ニ其国ヲ求メムト思ホサバ、天神地祇亦山神及《マタ》河海諸ノ神ニ悉ニ幣《ミテ》帛《グラ》ヲ奉リ我ガ御魂ヲ船ノ上ニ坐《マ》セテ、真木《マキ》ノ灰ヲ瓠《ヒサゴ》ニ納レ、亦箸及ヒラデヲ多《サハ》ニ作リテ、皆皆大海ニ散ラシ浮ケテ度《ワタ》リマスベシ。

右によれば、上代、海上航行の安全のために、真木（桧）の灰を瓢箪に入れ、また箸及び葉盤《ひらで》を多量に作って、これらを海面に散らし浮かべて渡海するという呪術宗教行為が行われるなど、灰のもつ霊力が信仰されていたことが明らかである。

染色に当たって、灰汁を差す（灰を指す・灰を合わす）という媒染作業（灰指し）においても、上代人は単にその作業の遂行について技術的に慎重であるのみならず、灰指しのもつ霊的な営為に対して敬虔の念をもって臨んだものと思われる。

さて、以上の如く、「灰指し」に関わる数首の歌を挙げて、一種霊的な意味を含みもつ語としての「灰指し」の語義の解明に努めてきたが、それは要するに三八八九番歌の「葉非左思《ハヒサシ》」(灰指し)なる語が、以上述べ来たったような含みをもって理解せらるべき語であることを言わんがためである。

しかし、この「葉非左思」をハヒサシと訓み、且つその義を「灰指し」と解するためには、「葉非」が「灰」の仮名表記であることを明らかにしなければならない。

集中には、「灰」の文字が二一三番・三一〇一番の両歌に、正訓字「灰《はひ》」として用いられているが、灰を仮名表記にして「葉悲・葉非・波肥」等、「八十乙類ヒ」の形は勿論、「八十甲類ヒ」の形の表記も、三八八九番歌の「葉非」を除けば、記・紀・萬葉何れにもその用例が見えない。従って、「灰《はひ》」

のヒが甲乙何れの音韻に属する語であるかを、上代の文字上の用例に基づいて明らかにすることはできない。これを明らかにするには、語原的または論理的に明らかにする以外に方法はないように思われる。

## 三

灰は『和名抄』に「灰陸詞切韻云灰呼灰波比反火燼滅也」とあり、『新撰字鏡』には、「灰韻化反化波比」とあって、両書ともにその和名を「波比」と表記しているが、「比」は甲類仮名である。然し、「平安時代に入ると、イ列エ列の甲乙類の区別は、やはり失はれてしまってゐる(11)」とされているので、この「波比」の表記が、「灰《ハヒ》」の上代における音韻を表わしたものであるか否かは判じ難い。然しながら、『和名抄』その他中古の字書に見える音仮名

「比《ヒ》」の中には、明らかに「火《ヒ》」に対応して用いられているものが少なくない。

例えば『和名抄』には「燐火文字集略云燐〔音鄰一音吝 和名於迩比〕鬼火也」とあって「燐火」の和名を「於迩比《オニヒ》」とし、それを鬼火也と説明している。即ち「於迩比《オニヒ》」の「比《ヒ》」が「鬼火也《オニヒナリ》」の「火《ヒ》」と対応している。

また『新撰字鏡』には、「炬」について、「炬。苣。〔同。巨音。烝也。 太比。又止毛志火〕」とあって炬の和名を「太比《タヒ》」あるいは「止毛志火《トモシヒ》」としている。この「炬」の和名「太比《タヒ》」は、萬葉に「御駕之《いでましの》手火《たひ》之《の》光曽《ひかりそ》」〈二三〇〉と見えており、「止毛志火《トモシヒ》」は「等毛之火《トモシヒ》能比可里尓見由流《のひかりにみゆる》」〈四〇八七〉と見えている。

『新撰字鏡』に見える和名「太比《タヒ》」の比《ヒ》は音韻は異なるものの、萬葉集の「手火《たひ》」の火《ヒ》に、また「止毛志火《トモシヒ》」の火《ヒ》は萬葉集の「等毛之火《ともしひ》」の火《ひ》に対応していることが窺われる。

これら一連の和名「於迩比《オニヒ》」(鬼火)「太比《タヒ》」(手火)「止毛志火《トモシヒ》」の「比」「火」

両文字は、上代音仮名に置き換える場合は、当然、火《ひ》のヒ即ち乙類ヒを表わす音仮名としての「非・悲・肥・被」等の文字を当てるべきであろう。

ところで、和名「はひ」（灰）について、『和訓栞』には「灰は土《ハニ》火の義にや字書に死火と注せり新撰字鏡和名抄同し又字書に炱もよめり(12)」とあって、灰は土火《ハニヒ》即ち燃え尽きて粉末化し土の如くになった火の果ての義ではあるまいかと述べている。つまり、「土火《ハニヒ》」を語原として、これが転じてハヒ（灰）となったものではあるまいかとの説である。

右の文中の「又字書に炱もよめり」とは、「字書には炱の字をもハヒと訓んでいる」との意であろう。確かに『新撰字鏡』に、「炱。屠来反。灰也。塵也。波比。又知利比治。」とあって、「炱」を灰也、塵也と定義づけ、その和名として、「波比《ハヒ》」または「知利比治《チリヒヂ》」の両訓を挙げている。然し、「炱」は本来、油煙・煙塵・煤煙即ち煤（すす）の義であって、直ちに「灰」を意味するものではない。然し、『新撰字鏡』がこのように記しているからには、その編纂当時、煤《すす》をも

「はひ」と称し、また「ちりひぢ」とも称したものと思われる。

それにしても、『和訓栞』が「灰は土火《ハニ》の義にや」と述べているように、「はひ」は何らかの複合名詞を語原とする可能性が大であろうと思われる。「ハニ」(土)と火《ヒ》との両名詞が複合して土火《ハニヒ》となり、これがニを脱してハヒ(灰)となった可能性は皆無とは言えまいが、直ちに肯定するには根拠が弱い。

灰(ハヒ)の語原として考えられるものとしては、「動詞(連体形)＋名詞」という形の複合名詞、例えば、立籠《たつこも》〈記・下〉・鳴神《なるかみ》〈萬・二六五八〉・苅藻《かるも》〈古今〉等の如く(A)「干ス火《ホヒ》」(乾ス火)の語形を原形として、これが転訛して「ホヒ」となり、やがて「ハヒ」となった可能性が考えられる。然し『新撰字鏡』には、「〓。子列反。入。燭餘。保久曽。又保須比。」とあって、漢語「〓」(燃え残り・燃え杭)の和名として「保須比《ホスヒ》」(干ス火・乾ス火の義か)が、その別名「保久曽《ホクソ》」(火糞)と共に掲げられている。火糞《ほくそ》は物の燃えがら・燃え残り・燃杙《もえぐひ》を云うものであって、粉末状の所謂「灰」そのものを指してはいない。従って『新撰字鏡』の「保須比《ホスヒ》」が「干ス火・乾ス火」の義であるとしても、それが火糞（保久曽）の別名であるとするならば、保須比《ホスヒ》はいわゆる「灰」そのものを意味するものとは考えられない。

ところで、現代の字書『字通』（白川氏）は、灰に関して、古字書に見えるその古訓を次の如く記している。

[古訓] ［和名抄］灰　波比（はひ）／灰汁　辨色立成に云ふ阿久（あく）

［字鏡］灰　ハヒ・アタユキ・アク・ホスヒ

［字鏡集］灰　ハヒ・ハヒフラス

右はわが国の古字書に見える「灰」に関わる古訓を網羅するものと言い得るものであろうが、その中に『字鏡』の掲げる灰の古訓ホスヒが見えている。このホスヒが前述の『新撰字鏡』に見える漢字「⿰火節」（音セツ）の和訓「保須比」と語原的に同義のものか否か判然としないが、少なくとも『新撰字鏡』

編纂当時の「保須比《ホスヒ》」は火糞《ホクソ》（保久曽）と同義であって、粉末状の所謂「灰」そのものを意味するものではなかったものと考えられる。従って、『字鏡』の「灰＝ホスヒ」と『新撰字鏡』の「⿰火節＝ホスヒ」という相似相反の両古訓を如何に解すべきか甚だ判じ難いところである。

さて一方、「動詞連用形＋名詞」という形の複合名詞が形成される場合、例えば「干《ホ》し飯《イヒ》・乾《ホ》し飯《イヒ》」が「ホシヒ」（糒《ホシヒ》）に転じたように、（B）「干《ホ》シ火《ヒ》・乾《ホ》シ火《ヒ》」を語原として、これが「ホヒ」↓「ハヒ」という転音をたどったものではないかとの見解もまた有り得る一つの立場であろう。

更にまた、複合の形式として「名詞＋動詞連用形」、例えば、言挙《コトアゲ》〈九七二〉言問《コトトヒ》〈五三四〉之保非《シホヒ》（潮干）〈三五九五〉火照《ホデリ》〈記・上〉等の如く、火《ヒ》の干《ヒ》たるものとしての複合名詞、（C）「火干《ホヒ》」（名詞「火」＋動詞干《フ》の連用形「干《ヒ》」）という語が形成され、これが転音して「ハヒ」となったと見るのも、また成り立ち得る見解であろう。

勿論、（D）「火干《ヒヒ》」（名詞「火《ヒ》」＋動詞干《フ》の連用形「干《ヒ》」）という語も、語原の一つとして考えられるが、上代においては、「火《ヒ》」が他語を下接させて複合語を形成する場合、例えば、火折《ホヲリ》・火進《ホススミ》・火照《ホテリ》・火中《ホナカ》・火串《ホクシ》・火影《ホカゲ》等の如く、「火《ホ》」に転ずる傾向が見られるので、「火干《ヒヒ》」は直ちに「火干《ホヒ》」に転ずる可能性が大である。従って、「火干《ヒヒ》」という語形は、前記（C）「火《ホ》干《ヒ》」という語形の前段階の形であると考えることができる。

然し、「火《ヒ》」の古形は「ホ」であったとする説がある[13]。広辞苑にも「ほ［火］「ひ」の古形。他の語を伴って複合語を作る」とある。この説に従えば、（D）の「火干《ヒヒ》」語原説は成り立ち難いことになろう。

なお、「名詞＋動詞連用形」の語形としては、「葉の干《ヒ》たるもの」としての（E）「葉干《ハヒ》」という語の形成も考えられる。

ところで、『和訓栞』にいう「土火《ハニヒ》」、あるいは前述の（A）（B）（C）（D）（E）等の諸語が、それぞれ、土火《ハニヒ》↓ハヒ、（A）干《ホ》ス干《ヒ》↓ホヒ↓ハヒ、（B）

干《ホ》シ火《ヒ》↓ホヒ↓ハヒ、（C）火《ホ》干《ヒ》↓ハヒ、（D）火《ヒ》干《ヒ》↓ホヒ↓ハヒ、（E）葉《ハ》干《ヒ》＝ハヒという経過をたどって「ハヒ」（灰）なる語が成立したとするならば、その「ハヒ」（灰）のヒは、燃える火《ヒ》のヒ、あるいは潮が干《ヒ》るのヒを意味する「ヒ」を語原とするものである。従って、この「ヒ」は、上代における音仮名表記に従うならば、「非・悲・肥・被・飛」等の乙類ヒの音韻をもつ文字が用いられるべき語であることは言うまでもない。

然し、灰《ハヒ》の語原を前掲諸語（A）～（E）または、これらに類する諸語の中に求めることができないとするならば、灰《ハヒ》のヒが乙類のそれであることを語原的に論証することは極めて困難と言わねばならない。

然しながら、三八八九番歌の内面的構造と歌意から見て、この歌の「葉非《ハヒ》左思《サシ》」が、三一〇一番歌の「紫は灰指すものぞ」の「灰指す」、あるいは、宇津保物語の「灰さし添ふる」の「灰さし」、更には源氏物語の「はひあひがたき紫を」の「はひあひ」（灰合ひ）等の語と相通う同根一類の語であることは、既に述べたところである。従って、三一〇一番歌の「灰《（ア）》指す」の灰、宇津保物語の「灰《（イ）》さし添ふる」の灰、さらに源氏物語の「はひ《（ウ）》あひがたき」のはひと、三八八九番歌の「葉非《（エ）》左思」の葉非の四者は、それぞれ灰《（ア）》・灰《（イ）》・はひ《（ウ）》・葉非《（エ）》の文字をもって同一の「ハヒ」（灰）を表記していると言い得るであろう。従って、これら灰《（ア・イ）》・はひ《（ウ）》・葉非《（エ）》三様の表記の間には、灰＝はひ＝葉非という等式が成立し得るわけで、この等式は即ち、灰は葉非であることを意味していると言えよう。つまり、灰《ハヒ》のヒは、三八八九番歌の葉非左思の葉非の非、即ち乙類ヒであることを物語るものと言い得るであろう。

なお、「はひ」（灰）の語原としての可能性が考えられる前掲諸語の中、例えば（C）「火干《ホヒ》」のホがハに転じて「ハヒ」となるのは、例えば「桴杼《ホド》呂《ロ》」（まだら・班）〈二三二三〉が「薄太良《ハダラ》」〈二三一八〉あるいは「薄太《ハダ》列《レ》」〈一四二〇〉「波太列《ハダレ》」〈一七〇九〉等に転音しているように、ホの母音オがアに転ずる場合があるその傾向に基づく一事例と言い得るであろう。

なおまた、「葉非左思」の表記が、「借訓仮名（葉）＋音仮名（非・左・思）」という形を採っていることは、類例に乏しい文字構成であるが、集中には「三佐呉《みさご》」（鶚）〈三〇七七〉「三毛侶《みもろ》」（三諸）〈二五一二〉その他「田度伎《たどき》」（手段・方便）〈三三二九〉「名具左《なぐさ》」（気休め・慰め）〈六五六〉等の事例が見えている。従って、類例なき表記として斥けることはできない。

## 四

以上の考察を通して、第五句「葉非左思所念」に関わる諸課題、即ち「葉非左思」の訓義の問題、「灰《ハヒ》」のヒの甲乙両類の音韻問題、さらに「葉非左思」の音訓混用表記の問題、以上三課題について、不充分ながらこれを述べ終ったものと考え、左にこの歌の読下文を掲げ、以下その歌意に触れたい。

　人魂《ひとだま》の　さ青《を》なる君が　ただ独り　逢《あ》へりし雨夜《あまよ》の　灰指《はひさ》し念《おも》ほゆ

右の歌の表面上の大意は、「色も青白く恐ろしげな人魂となってしまったあなたが、ただ独り悄然として立ち現われ、計らずもめぐり逢うことができたあの侘びしい雨の夜の灰指しのことが、懐しく想い起こされてならない。」というように受け取ることができる。然し、この歌の底に在るもの、つまり作者の胸底を流れるものは単純なものではない。

　この歌の第一句「人魂の」ののは、同格を表わす格助詞で、「人魂」は、即ち第二句「さ青なる君」と同一である。この「さ青なる君」即ち「人魂」（青燐・鬼火）と、その「さ青なる」色は、第五句の「灰指し」の灰の霊力によって誘い出され染め出された色に他ならない。その色相「さ青」なる燐光は即ち、曽て相思の人であり、背の君たりし人の霊魂であったと考えられる。

　この歌は、その内面構造として、第五句の「灰指し」という媒染作業のさ中、その媒染に用いた灰の霊力によって、青白く染め上げられて誘い出された故人の霊が、第一・二句の「さ青なる」「人魂」（青燐）となって、雨夜の灰指しの場に独り立ち現われるという構造を窺わせている。

もとより、この構造は隠れたもので、歌の表面には顕われていない。先述の白楽天所作の「李夫人」においては、「反魂香ハ降ス夫人ノ魂」「香煙ハ引キテ到ル焚香ノ処」等の詩句に見える通り、明らかに反魂香の香煙の霊力が夫人の霊を誘い導いて、香を焚く処、即ち武帝の前に立ち現われしめたことを平明に叙しており、底に隠れたものではない。ところが、人魂云々のこの歌は、「灰指し」の灰の精霊が故人の霊魂を青く染めて誘い出し、灰を指す作者の前に立ち現われしめたことを明らさまには歌ってはいない。

従って、この歌の内面に、上代人の灰と染色に関わる精霊信仰とも云うべき古昔の観念が横たわっていることを認めないならば、この歌に特に深い情趣を感じとることは有り得まい。

然し、この歌の内面構造は意図的に構えられたものではなく、灰指しと云う染色技法に伴う精霊信仰の観念を共有する上代人の一人としての作者が、その家事を果たすべく従事した灰指しのさ中、図らずも青白い燐光体としての故人の霊に邂逅し、後日、その夜の想出と故人への懐かしさに堪えぬ思いのままに歌いあげた真率の歌が、現代の吾々から見て、内面構造的に巧みな修辞上の技巧が施されているかの如く見えるのかも知れない。

ところで、現実の体験として、人魂即ち鬼火・青燐・燐火等と称される燐光体に出遭うなどのことが、有り得ようか、と疑う向きも少なくはあるまい。もとより、人間の霊魂としての燐光体など存在する筈はないが、物質としての燐光体として、青白い燐光を発する浮遊物の存在することは疑えない。

人体はもとより、牛馬・犬猫・鳥魚等多くの動物はその体内特に骨骼内に燐分を蔵している。これら人畜鳥魚の屍より既に分離していた燐分が、一定の気象条件、特に一定の温度・湿度・風力等の条件具備のもとで発光浮遊するということは、何ら異とするに足らない自然現象である。
古来、人々が、この青白く発光浮遊する燐光体（青燐）を、死者の霊魂と思い成して人魂《ひとだま》の名をもって称び、これを文芸の上にも伝えて来たのは謂われのないことではない。杜甫の五言古詩「玉華宮」にも、

　渓回《めぐり》テ松風長ク　蒼鼠竄《かく》ル二古瓦ニ一　不レ知何王ノ殿ゾ
　遺構絶壁ノ下　陰房鬼火青ク　懐道哀湍（14）瀉《そそ》グ

右のような詩句が見えている。長安北方の峡谷の断崖に崩れ残った往時の離宮、玉華宮の陰々たる房室に、青白く燃え浮かぶ人魂（青燐）を「鬼火青ク」と表現している。三八八九番歌の「人魂のさ青なる」という表現を想起させるものがある。

ところで、集中には死者の霊にめぐり逢うことを期待する歌〈四二七〉は見えるが、それを求めて逢い得た歌は見えない。三八八九番歌の作者も、自ら求めて故人の霊たる人魂にめぐり逢ったのではない。第四句の「相有之《あへりし》」

（逢へりし）は、会うことを約し合って会ったのではない。相手がたまたまそこに来合わせて、めぐり逢えたのである。

それにしても、この歌の作者が、色調ものの怖しい燐光を目前にして、何らの疑念もなく咄嗟の間に、これを故人の人魂として受け容れ、且つ後日とは云いながら、これを甚く懐しんでいるのは何故であろうか。

それは、作者の胸底に「灰指し」の灰のもつ霊力に対する精霊信仰の観念と、故人に対する深い思慕の情とが存したためであろうと解せられる。つまり、作者自ら行なった「灰指し」の灰の精霊が、故人の霊魂を色相「さ青」なる人魂（青燐）に染め成して、これを誘い導いて吾が前に立ち現われしめたのだとする作者の直感と、その直感を生む土壌としての痛切な故人への追慕の情とが、その燐光（人魂）を他ならぬ故人の霊魂なりと信ぜしめたものと考えられる。

その忘れ難い故人の人魂にめぐり逢えたと信ずる者の歌であればこそ、この歌には、人の恐怖を誘おうとする作為的修辞は全く見えない。

なるほど、冒頭第一句の「人魂」は確かに異形のものであり、親和し難い怪異の気配を漂わせている。しかし、続く第二句で、人魂と同格の語をもって「さ青なる君」と呼び変えることによって、不気味な「人魂」の存在がやや薄れて、「さ青なる君」という人格的呼称が、聞く者・読む者の意識の中に、歌の中心人物として浮かび始める。そして更に、その「さ青なる君」が、第三・第四句「ただ独り、逢へりし雨夜」を通して、蕭条たる夜雨の中にただ独り悄然として立ち現われるや、第二句の「さ青なる君」の恐ろしげな青白い相貌は、哀愁を帯びた面持ちに変り始める。さらに第五句「灰指し念ほゆ」に至ると、八音字余りからくる音律の重厚感もあってか、殆んど悼亡歌にも似た悲傷感さえ伝わってくる。灰指しに誘い出されて「ただ独り」さびしく立ち現われた故人の霊に対する作者の憐憫の情と同情、さらには故人に対する哀惜の情が迫ってくる。

第四・第五句は何れも字余りの八言句を重ねているが、何ら字余りからくる変調感あるいは違和・鈍重等の感じはない。むしろ、壮重な旋律感さえ覚えさせられる。二句重ねての字余り八言の句形が、かえってこの歌の漂わす哀感を重く深いものにしているように思われる。

およそ人魂なるものは、それ自体、異形にして怪異な存在である。然し、この歌の作者にとっては、この人魂は曽て恋人であり、あるいは背の君であったかと思われる忘れ難い人の霊に他なるまい。

然し、そのように忘れ難い故人の霊との邂逅とは云いながら、それは異形の人魂との邂逅である。恐ろしいまでに妖しい色とたたずまいのもとでの遭遇である。陰々たる夜雨の中を、徐ろにおもむろに浮遊するその青白く透明な燐光の恐ろしくも妖しい美しさ、そのたたずまいに戦きつつも、故人の霊と信じて茫然と見守る女人の風情、それはまことに、ぞっとするような凄味を帯びた美しさである。

源氏物語（玉鬘）に、「その夜やがておとゞの君渡り給へり、（中略）ほのかなる大殿油に、御几帳のほころびよりはづかに見たてまつる、いとゞおそろしくさへぞおぼゆるや」という一文が見える。周知の通り、光源氏が玉鬘をその屋形に訪ねた夜、大殿油のほのかな火明かりの中を歩んで往く源氏の君の面ざしを、几帳の綻びの間から覗き見たその家の女房が、その美しさの恐ろしいまでに冴えているのを見て、ぞっと戦くその胸中を抒べたものである。光源氏の美しさを「いとゞ恐ろしくさへぞ覚ゆるや」と表現している。光源氏の美しさは、見る者に恐ろしいとまで感ぜしめる、ぞっとするような凄味を帯びた美しさであったのである。

このような恐ろしい程の美しさと、さらに妖しさと哀しさをも漂わせる情景を歌いあげた、この人魂の歌の表現は見事である。源氏物語の右文傍線部の表現が見事である如く、この歌の表現もまた稀有のものと言わねばなるまい。この歌を単なる怪異譚と同様に解することは、その歌柄に反するものである。

この歌が、人魂に出会ったその雨夜の怕ろしさ、その恐怖すべき怪異を歌にして、人の恐怖を誘おうとする意図のものならば、この歌の如く過去の経験を追憶の形で表現するよりも、現在の事実として描き出すのが効果的である。

然るに、この歌が飽くまで過去の経験を、それも懐かしさに堪えない追憶として表現しているのは、この歌が人の恐怖・畏怖を誘うために作られたものではなく、真実、過去の体験に基づく心情の表出として詠まれたものであるからであろう。

しかし、この歌が作者の体験に基づくものであるにしては、作中の媒染作業（灰指し）が夜間に行われているのは不自然ではあるまいか、との疑念を提する向きも有ろうかと思われる。これについて先づ指摘しておきたいことは、上代における夜間の作業あるいは生業の営みについては、集中にその事例が少なからず見出されることである。

茜指す　晝は田賜びて　ぬばたまの　夜の暇に　摘める芹これ

（四四五五）

右は題詞によれば、天平元年の班田収授の実施に当たって、時の山城国の班田使として現地に赴いた葛城王（後の橘諸兄）の歌である。日中は班田実施の公務に忙殺され、わづかに夜の暇を見つけて摘んだものがこの芹であると歌っている。この歌は、その芹を包んだ苞《つと》に副えて都の妙観命婦の許に贈られたものである。これは作業と言い労働というには余りに遠い王族の風流な一夜の草摘みと言うべきものである。

然し一般に、夜間、田野、山林・河海等に入って、月下に芹を摘み、川瀬に鮎を捕えあるいは松明を焚いて鹿を狩り、漁火を點して魚を釣る等のことは、何ら異とすべきことではなかったことが知られる。例えば次に掲げる歌は、夜間の漁撈を生業とする者の存在を物語っている。

鱸《すずき》取る海人の燈火よそにだに見ぬ人故に恋ふるこの頃　（二七四四）

志賀の浦に漁《いさ》りする海人家人の待ち恋ふらむに明し釣る魚　（三六五三）

ところで、「人魂」の歌の「灰指し」の作業は、もとより日中早く始められたものであろう。然し染色の作業の手順は相当長時間を要するものである。

紫にいくしほそめて藤の花ゆふひさかきのはひをさすらむ[15]（夫木抄）

右の歌は後世の作であるが、紫の染液に幾度も幾度も、即ち幾入《いくしほ》も漬けては乾し、乾しては漬け、且つ媒染のため、ひさかき（柃）の灰汁にこれまた幾入も幾入も浸さなければならない薄紫色（藤の花色）の染色・媒染の作業が詠み込まれている。

三八八九番歌の「灰指し」も、染液と媒染液（灰汁）のそれぞれに、帛布を幾入も幾入も漬けては乾し、乾しては漬けるという工程の中の一工程である。しかも、染液や灰汁は一定の温度を保っていなければ発色が妨げられるので、火を焚いて液汁の温度を調整する等の作業も伴うのである。日中、早目に始めた作業が、家事の思わぬ手違いや念入りの作業のために、夕刻に及び、やがて夜間に至るということも有り得たものと思われる。

## 結び

さて、この歌は集中その類を見ない人魂の語を配しながら、通俗的な怪異譚に堕することなく、夢幻的な凄異の美を醸し出すとともに、架空の情とは云い難い現実味を帯びた哀惜の情をも漂わせている。先きにも触れたように、八音字余りの末尾の二句「逢へりし雨夜の灰指し念ほゆ」の語韻は、いかにも重厚且つ哀切、静かに静かに偲び泣くような故人への思慕の情が伝わってくる。

また、「灰指し」によって、「さ青なる」色の人魂即ち故人の霊が誘い出されるこの歌の内面構造は、媒染（灰指し）と発色に関わる精霊信仰に根ざすところの、上代人の古朴な観念を踏まえて甚だ堅固である。この歌の構造は、単なる思い付きによる技巧の所産ではない。また、この歌は、人の恐怖を誘うために戯れに詠まれた怪異譚ではない。

この歌は三首一連の「怕物歌三首」の一首として、その末尾に据えられているが、歌の風趣は第一・第二首とは殆ど異質と言い得るほどに異なる。第一・第二首（三八八七・三八八八）は、その措辞の表面から見ても、またその内面から見ても、人の恐怖を誘う歌の構成を意図して、空想的怪異あるいは幻想的怪異を詠んだものであることは明らかである。

然し、三八八九番歌には怪異の歌をものしようとする作者の意図は読み取れない。なるほど、陰々たる夜雨の中に燐光（人魂）が立ち現われ、また、それを「さ青なる君」と呼ぶなど、措辞の表面に現われた限りにおいては、

「怕物歌」としての怪異性を備えているが、歌の内面には、故人への切々たる慕情と哀惜の情が秘められており、鬼火・燐光といえども、それが故人の霊ならば敢えて避けようとはせぬ真率の思いが籠められていることを読み取ることができる。

即ちこの歌は、第一・第二首の如く、怪異そのものを詠んだ歌というよりは、むしろ悼亡の歌あるいは挽歌とさえ言うべき風韻を感ぜしめるものがある。

例えば、集中の挽歌のうち、次の二首を選んで、これに三八八九番歌を添え並べて味わってみるに、

㈠もみち葉の散りゆくなへに玉づさの　使を見れば逢ひし日念ほゆ

（二〇九）

㈡秋津野に朝居る雲の失せゆけば　昨日も今日も亡き人念ほゆ

（一四〇六）

㈢人魂のさ青なる君がただ独り　逢へりし雨夜の灰指し念ほゆ

（三八八九）

三首それぞれの歌の風韻は、互いに異質のものとは言い難いものがある。各首何れも悼亡の歌あるいは挽歌としての哀惜の情と哀切の美を湛えている。然し、特に㈢人魂云々の歌の湛えるその情と美には、凄然たるものがある。その凄味を帯びたところに、通常の挽歌たる㈠㈡の歌と異る特殊の趣がある。因みに、㈠の挽歌（二〇九）は柿本人麻呂作「妻死之後、泣血哀慟作歌二首并短歌」の中の短歌である。

㈢の人魂云々の歌は、挽歌にしては、もの怖しい凄味と妖しさがあり、怪異の歌（怕物歌）にしては懐旧追慕の情が深過ぎよう。この巻の編者が、敢えてこの歌を「怕物歌」の末尾に据えて、巻第十六の掉尾を飾らしめた所以のものは此処にあるのであろうか。編者の意図を想いつつ筆を擱きたい。

## 注

（1）『国史大辞典』（吉川弘文堂）
（2）「延喜式」巻三十四・木工寮（国史大系『延喜式後篇』）
（3）注（2）に同じ
（4）「類聚雑例」（刊本『群書類従』二九・巻五一四）
（5）注（4）に同じ
（6）同前
（7）「好色万金丹」巻之二・第三（日本古典文学大系九一『浮世草子集』）
（8）『萬葉集古義』五巻（高知県文教協会、一九八三年）
（9）注（8）に同じ
（10）「白樂天詩集」巻四（『漢詩大観』中巻〈有明書房〉）
（11）大野晋「萬葉時代の音韻」（『萬葉集大成』六・言語篇）
（12）『和訓栞』文政十三庚寅閏三月発行（高知女子大図書館所蔵）
（13）大野晋「上代語の訓詁と上代特殊假名遣」（『萬葉集大成』三・訓詁篇）
（14）『唐詩選』上（岩波書店）
（15）「夫木和歌抄」（『国歌大観』第二巻・私撰集編・歌集部）

【著者紹介】
**内田久夫**（うちだひさお）
高知県出身。大正15年生まれ。早稲田大学法学部卒。高校教諭として教鞭を執る傍ら、定年後も万葉集などの古典研究に勤む。

**法隆寺金堂釈迦三尊像台座裏の**
**「墨書十二文字」について**
**―上代飛鳥期の魂魄観と死後観―**

2024年２月23日　初版発行

著　　　者　内　田　久　夫
編　　　者　内　田　尚　仁
発　行　所　株式会社　美巧社
〒760-0063　香川県高松市多賀町１－８－10
（TEL）087-833-5811　（FAX）087-835-7570
印刷・製本　株式会社 美巧社

ISBN978-4-86387-186-1 